This item is ...
You can apply for renewal in person, by letter or telephone

Fines at the approved rate will be charged when an item is ...

MONDRIAN

ECOLE DE LA HAYE - DE STIJL

MONDRIAN
ECOLE DE LA HAYE - DE STIJL

DOLF HULST

BOOKKING
international

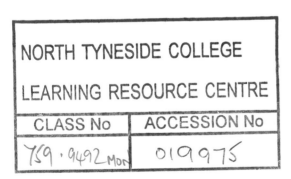
ISBN 2-87714-247-7

Ce livre a été conçu et réalisé par VBI/Smeets, Weert, Pays-Bas

Traduit du néerlandais par Ilse Hesper

© 1994 Bookking International, Paris, pour l'édition française.
© 1994 Royal Smeets Offset, Pays-Bas, pour l'édition originale.
© 1994 ABC/Mondrian Estate/Holzman Trust. Licensed by International Licensing Partners b.v.

Pour les œuvres des artistes associés à une organisation CISAC les droits d'auteur ont été réglés avec Beeldrecht Amsterdam, Pays-Bas. © 1994 c/o Beeldrecht

Photocomposition : Zspiegel, Best
Impression : Royal Smeets Offset, Weert, Pays-Bas

£12·50 H·H

Table des matières

De la ville à la plage

A l'exposition universelle de Paris, en 1855, le peintre Jozef Israëls (1824-1911) présente une toile intitulée *Le Prince d'Orange refuse d'exécuter les ordres du roi d'Espagne*. Deux ans plus tard, il expose *Enfants de la mer* et *Soirée à la plage*, qui retracent la vie simple d'un village de pêcheurs hollandais. Ces œuvres contrastent fortement avec les tableaux historiques et constituent une véritable rupture avec la tradition de la peinture de l'époque. Jusqu'alors, la majorité des peintres aux Pays-Bas se vouaient à la peinture d'histoire, on ne leur avait d'ailleurs jamais appris autre chose. Les académies enseignaient essentiellement la reproduction de statues et de bâtiments de l'Antiquité. Ceux qui voulaient s'engager dans d'autres voies étaient envoyés chez un peintre aux Pays-Bas ou à l'étranger. Oosterbeek, dans la province de Gueldre, était l'un des lieux où les élèves des académies aimaient se réunir. L'eau et les forêts des alentours du village formaient un thème de prédilection, et Oosterbeek s'appela vite le *Barbizon de Hollande*, d'après la colonie d'artistes en France, où la peinture de paysages était pratiquée depuis plus longtemps. Oosterbeek était certes un séjour agréable, mais le véritable Barbizon aux environs de Paris était un lieu de rendez-vous pour les artistes de toute l'Europe et attirait ceux qui voulaient échapper aux idées figées qui dominaient l'art dans leur propre pays.

L'exposition universelle de 1855 eut le mérite d'éveiller pour la première fois l'attention du grand public pour les peintres de Barbizon. Dans les années qui suivirent, le village devint une étape obligatoire pour les peintres, et sa réputation se répandit bien au-delà des frontières. Aux Pays-Bas aussi, les tableaux de Barbizon se vendaient bien, tout comme ceux des peintres néerlandais s'inspirant des idées françaises. Aux Pays-Bas s'ajoutait encore un

Jean-Baptiste Corot
Le Pont de Narni, 1826
Papier sur toile, 34 x 48 cm
Paris, musée du Louvre

p.6
Piet Mondriaan
Moulin et arbres près de Saasveld,
vers 1907
Toile, 75 x 63 cm
La Haye, Haags Gemeentemuseum

Théodore Rousseau
Les Saules, 1856
Toile, 24 x 32 cm
Genève, musée d'Art et d'Histoire

intérêt incessant pour la peinture hollandaise des XVIIe et XVIIIe siècles. De nombreux étrangers du monde entier venaient aux Pays-Bas pour étudier comment Rembrandt van Rijn, Johannes Vermeer, Jan Steen et Frans Hals maniaient leurs couleurs sur la toile. Ainsi l'Allemand Caspar Scheuren, professeur à l'académie de Düsseldorf, passa quelques jours aux Pays-Bas pour, comme il le dit lui-même, se rafraîchir et se conforter au contact des anciens Hollandais. Son compatriote, le peintre Max Liebermann (1847-1935), s'exprima en termes tout aussi élogieux sur la qualité des maîtres hollandais. Debout devant *La Ronde de nuit* de Rembrandt il aurait dit : « Quand on voit un Frans Hals, on commence à avoir envie de peindre, mais quand on voit un Rembrandt, on aimerait s'arrêter tout de suite. »
Si Oosterbeek et Paris attirent de nombreux peintres néerlandais, beaucoup d'entre eux se rendent aussi en Allemagne. La Düsseldorfer Malerschule, notamment, avait la réputation d'être une excellente école. L'accent était mis sur les thèmes historiques, mais les paysagistes y étaient aussi volontiers accueillis.

L'école de La Haye

A l'exemple des Français et des Allemands, un groupe de jeunes artistes néerlandais s'établit vers 1870 à La Haye. La ville et ses environs, les dunes entre la ville et Scheveningen, le village de Scheveningen proprement dit, Katwijk et les régions rurales de Wassenaar et de Voorburg offraient une myriade de sujets d'inspiration. Les peintres mettaient à profit leurs connaissances des maîtres du XVIIe siècle, mais ils avaient subi également les influences françaises et allemandes. Ce mouvement est entré dans l'histoire comme l'*école de La Haye*. Elle a été qualifiée d'ultraradicale, et on parla même d'un « véritable iconoclasme dans le domaine de la peinture ».

L'école de La Haye « cherche surtout à restituer l'ambiance, elle préfère le ton à la couleur. Avec ces peintres s'est amorcé le règne du gris », écrit le critique Van Santen Kolff dans la revue *De Banier*.

« Nous sommes confrontés à un réalisme authentique le plus bénéfique qui soit pour nous. C'est dans cette voie, selon ma plus profonde conviction, que nos paysagistes et peintres de marines doivent s'engager s'ils veulent créer durablement et dans l'esprit de notre temps. » D'autres critiques sont moins élogieux, on reproche à l'école de La Haye de tout voir à travers des lunettes grises et de couvrir les toiles d'un voile de deuil. L'auteur allemand Richard Muther ne partage pas cette opinion quand il écrit dans son *Geschichte der Malerei im neunzehnten Jahrhundert* (Histoire de la peinture au XIXe siècle) qu'aux Pays-Bas on ne voit nulle part « la pleine lumière » mais que dans l'air humide on n'en découvre pas moins partout la couleur.

Les peintres de l'école de la Haye se réfèrent à ceux de Barbizon qui, à leur tour, en appellent aux maîtres néerlandais du siècle d'Or, comme Jacob van Ruisdael et Meindert Hobbema. Ces artistes sont estimés aussi en Grande-Bretagne et exercent une influence sur John Constable, William Gainsborough et William Turner qui, de même, stimulent des peintres de Barbizon

John Constable
Le Moulin et l'écluse de Dedham,
1819/1820
Toile, 51 x 77 cm
Londres, Victoria and Albert
Museum

Jozef Israëls
Portrait du peintre par lui-même,
1908
Toile, 97 x 70 cm
Amsterdam, Stedelijk Museum

comme Jean-Baptiste Camille Corot, Charles-François Daubigny et Jean-François Millet. Cette inspiration réciproque empêche de tracer nettement le début de l'école de La Haye. Mais il est certain que son apogée se situe vers 1870, avec Jozef Israëls comme chef de file.

Le peintre de l'homme

Jozef Israëls, issu d'une famille juive très modeste, reçoit dès l'âge de onze ans des leçons de dessin et de peinture à l'académie Minerva, dans sa ville natale de Groningue. Sept ans plus tard il déménagera à Amsterdam pour travailler dans l'atelier du portraitiste et peintre de figures Jan Adam Kruseman (1804-1862) et suivre un enseignement à l'Académie royale où Kruseman est professeur. Après avoir vu une toile d'Ary Scheffer (1795-1858), peintre néerlandais habitant à Paris, Israëls décide en 1845 de se rendre, lui aussi, à Paris. Il y travaille dans l'atelier d'élèves de Picot, suit des cours du soir à l'école des Beaux-Arts et copie au Louvre des tableaux de Rembrandt et de Velasquez. Il envoie son œuvre *Mère et enfant*, d'inspiration

Jozcf Israëls
Le Retour à la maison, 1890/1895
Toile, 45 x 58 cm
Amsterdam, Stedelijk Museum

romantique, aux Pays-Bas pour qu'elle y soit exposée. En 1847, il retourne dans son pays natal et s'établit à Amsterdam, où il peint des portraits dont lui-même est satisfait, mais qui ne rencontrent pas l'approbation du public. Son ancien professeur Kruseman lui conseille de ne pas peindre de personnes laides car ceci heurte le bon goût.

Israëls devient célèbre en 1850 avec son tableau *Ophelia,* appelé aussi *Rêverie,* une toile romantique qui représente une jeune femme couchée près d'un ruisseau sous un dais de feuillage sombre. Ce tableau lui rapporte cinq cents florins qu'il consacre à un voyage à Düsseldorf, le centre de l'art romantique allemand de l'époque.

Une nouvelle visite à Paris le remet en contact avec l'école de Barbizon. Son œuvre change profondément lorsque son frère, qui est médecin, lui prescrit un séjour de plusieurs semaines à Zandvoort, village de pêcheurs baigné par la mer du Nord, pour qu'il soit au grand air. Là, Israëls constate que les humbles gens le touchent beaucoup plus que les personnes qu'il peignait jusqu'alors. Il renonce aux tableaux à la mode quand il exécute en 1851 la toile *En passant devant la tombe de ma mère.* La rupture avec la tradition n'est cependant pas complète, et l'élément romantique n'a pas encore disparu, mais Israëls ne représente plus des personnages historiques ou des bourgeois opulents. Son nouveau style lui apporte le succès à l'étranger aussi, bien que son œuvre provoque parfois beaucoup de remous. Ses pêcheurs et ses fermiers sont souvent considérés comme trop ordinaires pour être représentés, car l'art a la vocation de dépeindre les grands moments de l'histoire. Aussi le

Jozef Israëls
Enfants de la mer, 1872
Toile, 48,5 x 93,5 cm
Amsterdam, Rijksmuseum

professeur Alberdingk Thijm déclare-t-il qu' « il n'est plus question de se demander si l'œuvre d'art renferme des idées : il suffit qu'elle exprime un sens vacillant de couleurs ».

Israëls, qui s'est marié en 1862, déménage en 1871 avec sa famille à La Haye. Le ménage se compose de quatre personnes, et son fils Isaac (1865-1934), malgré son jeune âge, influence déjà l'œuvre de son père. Isaac n'a pas d'affinité avec l'ambiance de résignation tragique qui se dégage des tableaux de son père, et celui-ci décide d'attacher plus d'attention au détail, comme le montrent les tableaux *Le Sacristain et sa femme*, *Les Dormeurs* et *L'École de couture de Katwijk*. Cette dernière toile se distingue des autres en ce sens qu'Israëls représente un assez grand groupe de personnes, alors que d'habitude il se limite à quelques figures.

Jozef Israëls atteint sa maturité de peintre avec des toiles comme *Le Fils du vieux peuple* et *Une Scène de Laren*, *Rien de plus* et *Longeant des Champs et chemins*, dans lesquelles il représente l'homme solitaire ou délaissé. Ce n'est pas le pêcheur en mer qui le préoccupe mais sa femme qui l'attend, pas le fermier aux champs mais l'homme après le travail qui rentre chez lui. Dans ses tableaux, les figures se confondent pour ainsi dire avec leur entourage, ce qui incite le critique Jan Veth à écrire : « Des taches embrouillées et indistinctes, des traits de peinture perçants, des accents mordants ; rugosité et tendresse, pourriture et souplesse, saleté et pureté, tout cela engendre chez Israëls, comme par enchantement, une profondeur grandiose de la vie, dans la langue la plus raffinée, et la plus flexible peut-être, de la peinture que je connaisse. » Le matériel qu'il utilise pour sa peinture est tout aussi flexible, et la qualité des tableaux se détériorera considérablement au cours des années. A la recherche de la couleur voulue, il utilise des bitumes comme fondation, matériel employé plus tard pour revêtir les rues et les toitures. Les bitumes ne sèchent jamais entièrement, si bien que de nouvelles fissures apparaissent sans cesse sur de nombreux tableaux. Ce problème ne se posait pas encore pendant la vie du peintre. Son œuvre était hautement appréciée, et le peintre remporta de nombreuses distinctions aux Pays-Bas et à l'étranger. En 1910 il est honoré à la biennale de Venise par une exposition individuelle. C'est la dernière fois qu'il se rend dans cette ville. L'année suivante Israëls meurt à La Haye.

Les intérieurs d'église – une spécialité

Johannes Bosboom (1817-1891) trouve son inspiration, plus que les autres peintres de l'école de La Haye, dans les maîtres du XVII siècle. Il admire Rembrandt bien sûr, mais il a un penchant tout aussi profond pour Émanuel de Witte et ses tableaux d'églises. Très tôt, Bosboom, élevé selon un protestantisme strict, décide de faire sa spécialité des intérieurs d'église. Il est fasciné surtout par la pénombre causée par les fenêtres haut placées, la répartition des espaces, les piliers et les hauts plafonds. Les représentations de l'homme ne sont pas absentes de ses tableaux, mais l'homme est insignifiant face aux volumes massifs. Le peintre le représente souvent en habits du XVII siècle et crée ainsi une ambiance plus intense. Il n'est donc pas étonnant que les Néerlandais, très croyants et peu attirés par la peinture moderne, le portent aux nues. Le choix de ses thèmes n'est pas approuvé par tous ceux de l'école de La Haye. Mais sa manière de peindre, sa touche légère rapprochent ses toiles du style de ce mouvement.

En 1831, Bosboom commence son apprentissage chez Bart van Hove (1790-1880), qui habite juste à côté de la famille. Il entre vite en contact avec

Johannes Bosboom. *L'Atelier de Bosboom à La Haye*
Aquarelle, 47 x 36 cm, La Haye, Haags Gemeentemuseum

Johannes Bosboom
La Plage de Scheveningen, vers 1873
Aquarelle, 35 x 55 cm
Amsterdam, Rijksmuseum

l'architecture, car son professeur est aussi constructeur de décors et se fait assister par ses élèves dans la conception des décors de théâtre. Deux ans plus tard, Bosboom expose ses deux premiers tableaux à La Haye et se voit décerner en 1837 la médaille d'honneur Felix Meritis. Dès lors, il commence à collectionner les prix. Ses intérieurs d'église suscitent un vif intérêt, même à l'étranger. Bosboom décide alors de se consacrer entièrement à ce genre de peinture, sans pour autant se limiter dans le choix de ses sujets. Il peint aussi bien des synagogues que des églises catholiques et des temples protestants. A la recherche de thèmes, il se rend souvent à l'étranger et travaille ses esquisses minutieusement une fois rentré chez lui aux Pays-Bas, où il a épousé en 1851 Anna Louisa Geertruida Toussaint, écrivain célèbre à l'époque. Si ses œuvres de la première période sont de facture réaliste, il évolue par la suite vers une représentation moins précise mais plus évocatrice. Les intérieurs de l'église Saint-Bavo à Haarlem et de l'église Saint-Laurent à Alkmaar en sont les témoignages éloquents. En 1876, Bosboom travaille à Groningue et Zuidlaren et y peint aussi des paysages et des étables. Mais il considère lui-même que ses œuvres les plus importantes sont les intérieurs d'église, et notamment le tableau *Église principale de Trèves*, de 1867.

Le peintre de nuages

p.17
Bart van Hove
Vue depuis le jardin du 34,
Gedempte Burgwal, La Haye
Toile, 82 x 66,5 cm
La Haye
Haags Gemeentemuseum

Hendrik Johannes (plus tard Jan Hendrik) Weissenbruch (1824-1903), né à La Haye, se sent « abasourdi » devant les anciens maîtres hollandais, tels que Jacob Isaacszoon van Ruisdael et Johannes Vermeer. On voit très bien qu'au début de sa carrière il adopte le style de ces maîtres et élabore très nettement les détails. Ses toiles ultérieures font preuve de simplification. Ses premiers paysages subissent visiblement l'influence de l'œuvre d'Andreas Schelfhout (1787-1870), mais rien ne prouve qu'il ait été son élève. Weissenbruch trouve

J.H. Weissenbruch
Vue de la plage, 1887
Toile, 73 x 103 cm
La Haye, Haags Gemeentemuseum

d'abord ses sujets dans les dunes de Scheveningen, puis dans la campagne aux environs de La Haye, plus tard encore près de Nieuwkoop, Boskoop et Noorden. Il trace en plein air des esquisses qu'il approfondit ensuite dans son atelier. En 1847, il expose ses paysages pour la première fois et, deux ans plus tard, il vend un tableau au musée Teylers à Haarlem pour deux cent cinquante florins, somme astronomique si on la compare aux deux florins que rapportaient ses premières aquarelles. De plus en plus, ses paysages sont surplombés de nuages comme ceux de Ruisdael, son maître favori. C'est à cette époque que Weissenbruch acquiert la réputation d'être principalement un peintre de nuages, une appellation quelque peu restrictive, car il représente aussi des intérieurs et des scènes de rue, comme l'Herberie à Rotterdam et le marché aux poissons de La Haye. Ses intérieurs ne sont pourtant pas des maisonnettes de pêcheur romantiques à la manière de l'école de La Haye, mais des souterrains, les offices de grandes maisons bourgeoises. Ses paysages tels que *Vue près de la Geestbrug, Souvenir d'Haarlem* et *Chevaliers dans le bois de La Haye* suscitent immanquablement les critiques. On les trouve trop crus, trop violents, et Weissenbruch ne parvient pas à les vendre. Plus tard seulement, vers 1880, il réussit à écouler des tableaux – à des prix dérisoires – et ce sont les toiles de Nieuwkoop et Noorden. De son vivant il n'a jamais connu de véritable succès auprès du grand public. On l'appelle le peintre pour les peintres, apprécié de ses collègues mais sans attrait immédiat

J.H. Weissenbruch
Le Dessinateur dans son atelier
Aquarelle, 50 x 70 cm
La Haye, Haags Gemeentemuseum

pour l'amateur d'art moyen censé acquérir ses toiles. Il ne se donne d'ailleurs aucun mal en ce sens, se contente du peu d'argent qu'il a et continue paisiblement sa recherche. En 1899, le marchand d'art Frans Buffa & fils organise une exposition de l'œuvre de Weissenbruch en l'honneur de son soixante-quinzième anniversaire. Cette manifestation, où sont présentées un certain nombre de ses aquarelles qui se vendent bien, lui apporte enfin une certaine célébrité nationale. Lorsque quelques membres de la société d'art Pulchri viennent le féliciter chez lui, ils s'étonnent de voir le sol entièrement couvert de peintures. Weissenbruch marche dessus sans faire attention en disant que cela ne nuit en rien aux toiles. Au contraire, celles qu'il aurait le plus foulées atteignent les meilleurs prix car « elles ont reçu un apprêt élégant ».

Jacob Maris
La Tricoteuse sur un balcon à Montmartre,
1869
Toile, 75 x 40 cm
La Haye, Haags
Gemeentemuseum

« Le plus grand peintre de son temps »

La Barque de pêcheur, Le Vieux Dordrecht et *Potagers près de La Haye* sont des tableaux qui illustrent les thèmes qui ont rendu célèbre Jacob Maris (1837-1899), originaire de La Haye. On l'a appelé le plus grand peintre de son temps, mais avant de connaître la gloire il découpe, pendant son apprentissage, des mouettes de papier pour le peintre de marines Louis Meijer (1809-1866), afin que celui-ci voie comment disposer le mieux les oiseaux sur la toile.

Jacob Maris, l'aîné de trois frères tous devenus peintres, prend des leçons à l'académie de peinture de La Haye dès l'âge de treize ans. En 1853, il apprend son métier auprès de Huib van Hove (1814-1865) et part en 1834 pour Anvers où il suit pendant deux ans les cours du soir de l'académie. Il rencontre à Anvers Louis Meijer et partage un atelier avec son frère cadet de deux ans, venu le joindre en 1855 à Anvers grâce à une bourse obtenue par l'intermédiaire de Meijer. Pour arrondir leurs revenus, les deux frères font de petits tableaux à cinq et dix florins, destinés au marché américain. Mais ces travaux ne sont guère lucratifs, et Jacob doit bientôt quitter Anvers, suivi un an plus tard de Matthijs. Plusieurs commandes de la maison d'Orange permettent aux frères de se rendre à Oosterbeek et a Wolfheze, mais aussi en Autriche, en Suisse et en France. Les quatre mille florins reçus de la maison royale sont vite dépensés, au point que les frères doivent se défaire de leur atelier à La Haye et retourner vivre chez leurs parents.

En 1865, Jacob part pour Paris où il reste six ans et se marie en 1867. Pendant quelque temps il travaille auprès d'Ernest Hébert (1817-1908), peintre spécialisé dans ce sujet très en vogue qu'est la représentation de figures italiennes. Comme de juste, Jacob peint quelques tableaux dans le style d'Hébert. En témoigne *La Tricoteuse sur un balcon à Montmartre*, qui date de 1869. La toile attire l'attention des galeries françaises, Jacob se voit donc commander par la galerie Goupil une série de toiles italiennes, telles que *Fille italienne sur la terrasse* et *Fille italienne au puits*. Mais Maris se lasse vite du sujet. Les paysages vus à Paris dans les tableaux des peintres de Barbizon l'attirent davantage. A Oosterbeek il s'était déjà essayé à la représentation de paysages, et ses toiles parisiennes avec les figures italiennes font une part plus large à la nature que Goupil ne l'estime souhaitable. Sur l'un de ses premiers tableaux libres une jeune fille est certes représentée, mais il accorde davantage d'attention à la nature en arrière-plan.

Jeune berger près d'une rivière, refusé par Goupil mais acheté par un marchand de tableaux anglais, confirme à Maris que sa manière de peindre éveille l'intérêt. Pour les Français, une toile représentant un bac est un produit typiquement hollandais et donc très apprécié, si bien que Maris fait plusieurs variations sur ce thème. En 1871 il retourne définitivement à La Haye où il peint un an plus tard *Le Moulin coupé*, représentant la vue depuis la fenêtre de son atelier. Ce long tableau rappelle les paysages de sa période parisienne, mais les couleurs et les épaisses couches de peinture en font une authentique toile de l'école de La Haye. Libéré du carcan imposé par Goupil, Jacob semble découvrir la beauté des Pays-Bas. Moulins, fleuves, plages, bateaux ou villes surmontés d'un ciel nuageux, il les peint tous. L'une de ses spécialités est la plage, surtout les toiles avec des barques de pêcheur qui, comme Scheveningen n'a pas encore de port, doivent être tirées de l'eau sur la plage par des chevaux. Son œuvre est avant tout appréciée par les marchands d'art à l'étranger, jusqu'à ce qu'en 1884 le musée municipal de La Haye achète l'un de ses tableaux avec barque de pêcheur. Dès lors, ses vues

Jacob Maris
La Barque de pêcheur, 1878
Toile, 124 x 105 cm
La Haye, Haags Gemeentemuseum

Matthijs Maris
La Fileuse, 1873
Toile, 91 x 61 cm
Otterlo, Rijksmuseum
Kröller-Müller

23

Matthijs Maris
Portrait du peintre par lui-même,
1860
Panneau, 27 x 18 cm
Otterlo, Rijksmuseum
Kröller-Müller

se vendent bien aux Pays-Bas, même s'il est difficile de distinguer Amsterdam, Rotterdam, Delft et Dordrecht dans ses tableaux. On y trouve souvent
un amalgame d'éléments de ces villes placés dans un environnement imaginaire. Cela n'empêche pas que les toiles soient très demandées par le public,
et Jacob accepte donc régulièrement de nouvelles commandes. Parfois cela
l'irrite. Harms Tiepen rappelle dans son livre *Herinneringen* (Mémoires)
qu'il disait : « Zut, encore une ville aux nuages blancs ! » Il répond pourtant à
chaque demande, ne serait-ce que pour nourrir sa famille qui compte désormais neuf personnes.

Matthijs Maris
La Fiancée, 1865/1869
Toile, 102 x 64 cm
La Haye, Rijksmuseum
H.W. Mesdag

Une insulte à la nature

Matthijs Maris (1839-1917), frère de Jacob, ne s'intéresse guère à la représentation réaliste de la nature et des hommes qui s'y trouvent. Il trouve la réalité « laide et dure » et est persuadé que l'art doit exprimer davantage que le seul objet de notre perception visuelle directe. Avec *Tête de bélier* et son *Autoportrait* de 1860, Matthijs représente encore la réalité, mais il semble à la recherche de l'insaisissable, du spirituel. Tout comme Jacob, Matthijs travaille pendant sa période à l'académie chez Louis Meijer, qui veille à ce que les deux frères aient une formation à Anvers. Un voyage fait ensemble le long du Rhin impressionne particulièrement Matthijs. Les rues en pente aux maisons en bois de Lausanne se sont si fortement imprimées dans sa mémoire qu'il continuera à les peindre toute sa vie. Matthijs semble inspiré au début

Matthijs Maris
« *Souvenir d'Amsterdam* », 1871
Toile, 46,5 x 35 cm
Amsterdam, Rijksmuseum

de sa carrière par les peintres allemands, puis par les peintres français, enfin par les peintres anglais. Toutefois, il n'est pas un représentant typique de l'école de La Haye. Son œuvre est très vivement critiquée. En 1865, le journal *Algemeen Handelsblad* écrit que les tableaux de Matthijs sont « une insulte à la nature », ce qui incite le peintre à se retirer et à ne plus exposer aux Pays-Bas. A l'invitation de Jacob, il part en 1869 pour Paris. Pendant la guerre franco-prussienne de 1870-1871, il s'enrôle dans la garde municipale et se rallie aux Communards après la défaite. Il échappe à la terreur du régime militaire, mais après le départ de Jacob il connaît quelques années très diffi-

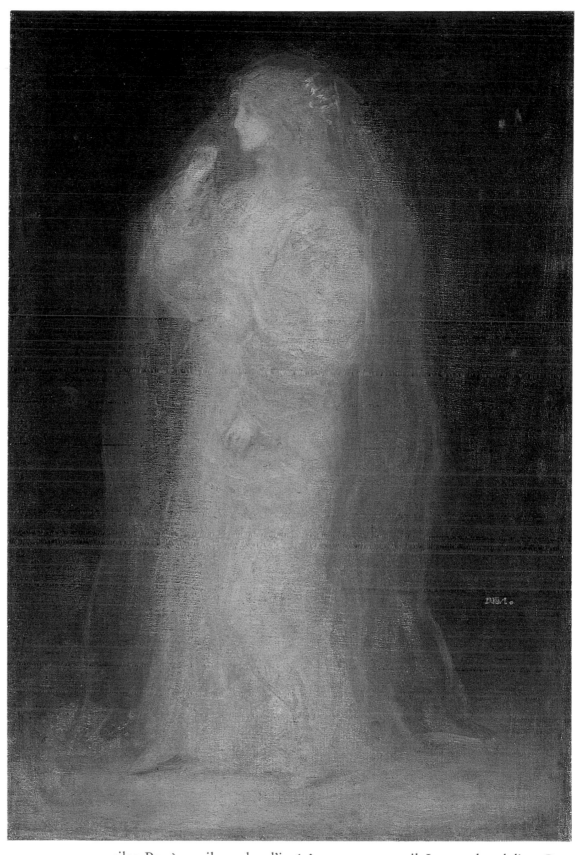

Matthijs Maris
La Fiancée, 1888/1892
Toile, 50 x 34,5 cm
La Haye, Haags Gemeentemuseum

ciles. Peu à peu il y a plus d'intérêt pour son travail. Le marchand d'art Goupil, bien que peu attiré par son œuvre, parvient à vendre quelques tableaux à Daniel Cottier, marchand d'art écossais établi à Londres. Après de longs efforts, ce dernier réussit en 1877 à convaincre Matthijs de venir habiter à Londres où ses tableaux pourraient plus facilement s'écouler. Même si Matthijs n'a aucune confiance dans le milieu des marchands d'art, il emménage chez Cottier et après quelque temps chez Elbert van Wisselingh, l'assistant ce celui-ci. Leur coopération dure de longues années. Il habite chez le

Matthijs Maris
Les Papillons, 1874
Toile, 64,8 x 99,1 cm
Glasgow Museums: The Burrell
Collection

Willem Maris
Un Pré avec des vaches au bord de l'eau
Toile, 87 x 108 cm
Amsterdam, Rijksmuseum

30

marchand d'art jusqu'en 1887, bien que les rapports restent tendus entre Cottier et Matthijs, qui se replie de plus en plus sur lui-même. Soutenu financièrement par Wisselingh, il passe la dernière période de sa vie dans un quartier populaire de Londres, entièrement à l'écart et vivant dans un monde imaginaire. « Mes peintures, dit-il, sont l'expression parfaite de mes pensées ; elles m'appartiennent, elles sont une partie de mon âme, moi seul les comprends et sais combien elles ne suffisent pas à exprimer ce qu'il y a en moi. » Cette remarque pourrait s'appliquer à son tableau *Les Papillons*, de 1874. Il ne montre plus cette œuvre à personne mais la remanie sans cesse jusqu'à sa mort en 1917, au point que finalement toutes les formes sont presque indiscernables.

« Le plus original des Maris »

« L'émeraude humide des prés, la brume violette des roselières, le blanc éclatant des canards, le brun saturé de soleil des pâturages, le scintillement métallique des plans d'eau, la douce ondulation du crépuscule sous les buissons au bord des rives, le bleu vibrant du ciel rendant la chaleur – tout cela est le jeu d'une seule source : le soleil hollandais. » C'est ainsi que Max Eisler caractérise en 1913 l'œuvre de Willem Maris (1844-1910), le frère cadet de Jacob et Mattijs. Il poursuit : « Qui pourrait mieux peindre le soleil que Willem Maris ! » Willem reçoit ses premières leçons de dessin de ses frères, puis il suit les cours du soir de l'académie de peinture de La Haye, mais il se forme principalement lui-même. Il copie les œuvres de Paulus Potter dans le musée du Mauritshuis à La Haye. Dehors, il aime travailler le matin, à contre-jour et par beau temps, contrairement à Jacob, qui préfère un ciel couvert. *Vache qui boit au ruisseau* est l'un des premiers tableaux de Willem. Il continuera à représenter des animaux, bien qu'il ne s'intéresse pas à l'animal en soi. « Ce n'est pas mon objectif, dit-il, de peindre la vache pour la vache, ni l'arbre pour l'arbre. Je veux susciter par l'ensemble l'impression que donne parfois la nature, une impression de grandeur et de beauté. » Il prétend se servir des animaux seulement pour capter la lumière. Les personnes ne sont guère présentes dans ses tableaux qui, par contre, abondent en vaches, cigognes et canards. Willem vend si bien ses tableaux, surtout à l'étranger, que certains critiques néerlandais estiment que son choix des sujets est un choix pour l'argent. Le poète Adama van Scheltema écrit : « On commence par des canards et des vaches pour aboutir à cette condamnation humiliante de devoir peindre toute sa vie des canards et des vaches. » Willem, que d'autres tiennent parfois pour le plus authentique des Maris, ne s'est d'ailleurs pas limité aux animaux, mais ce sont bien ces toiles-là qui restent les plus marquantes de son œuvre. *Vache qui miroite*, *Vache qui boit au ruisseau* ou le tableau au titre lapidaire *Vache*, de 1860 – ce sont des animaux dont la présence est presque corporelle. A l'inverse de beaucoup de ses contemporains, il n'a aucun penchant pour les peintures d'intérieur. Il préfère s'installer dehors, au soleil matinal.

Hendrik Willem Mesdag
Les Barques de pêcheur dans les brisants
Aquarelle, 48 x 63,5 cm
Amsterdam, Rijksmuseum

Hendrik Willem Mesdag sur
une photo signée, à côté
d'une de ses marines

L'homme d'affaires devenu peintre

La médaille d'or du Salon de Paris est attribuée en 1870 à Hendrik Willem Mesdag (1831-1915) pour son tableau *Les Brisants de la mer du Nord*, une mer écumante sous un ciel gris. Mesdag en est le premier surpris car il n'avait commencé à peindre sérieusement que quatre ans auparavant. Fils d'un banquier de Groningue, rien ne le destinait à la peinture, mais travailler dans la banque de son père ne le rendait pas très heureux. Il apprend de bonne heure à dessiner et à peindre, mais se considérait lui-même comme un amateur. C'est sa femme, Sina van Houten, qui finit par le convaincre d'abandonner sa carrière dans le commerce. La décision est d'autant plus aisée que Sina hérite à la mort de son père en 1865. Mais ses amis dans le monde des affaires restent persuadés que cette décision est une folie, et le peintre Jozef Israëls lui aussi croit devoir mettre en doute le discernement de Mesdag lorsqu'il apprend que ce dernier abandonne le monde de l'argent.

Mesdag espère acquérir les connaissances en peinture à Bruxelles, où le couple déménage en 1866. Sur les conseils de son neveu, le peintre Lawrence Alma Tadema (1836-1912), qui habite lui aussi à Bruxelles. Il prend des leçons chez Willem Roelofs, peintre néerlandais de fleuves et paysages. Roelofs lui apprend à ébaucher de grandes toiles et le met en contact avec les artistes de Barbizon. Quelques années plus tard, lors d'un séjour dans l'île allemande de Norderney, Mesdag s'ouvre à la fascination de la mer. Les esquisses faites en Allemagne sont tellement appréciées à Bruxelles qu'il décide de faire de la mer son principal sujet. Il ne réussit cependant pas de manière convaincante à transformer ses esquisses en tableaux. Il est aussi parvenu à la conclusion qu'un peintre doit représenter les objets avec la plus grande précision. A Bruxelles, il habite encore trop loin de sa nouvelle passion, la mer, et en 1869 le couple s'installe à La Haye. Mais comme si cela ne suffisait pas, il loue une chambre dans un hôtel à Scheveningen pour pouvoir étudier la mer quotidiennement, sans être interrompu et sans être dérangé. L'eau l'attire tout autant que l'activité du port de pêche, les bateaux, les remorques et les personnages du village. Toute cette vie se retrouve dans ses tableaux.

Hendrik Willem Mesdag
Panorama de Scheveningen, 1881
La Haye, Panorama Mesdag

Photo de Scheveningen
provenant des archives
du Panorama Mesdag

Aux Pays-Bas Mesdag commence à être apprécié l'année où *Les Brisants de la mer du Nord* est couronné d'un prix en France. L'année suivante, aux Pays-Bas, il est décoré par la Ville de La Haye pour s'être attaché à représenter l'activité de la pêche. Les musées commencent eux aussi à s'intéresser à lui, et à l'étranger Mesdag est considéré, avec Jozef Israëls et Jacob Maris, comme le représentant par excellence de la peinture néerlandaise. En 1881 il reçoit de la Belgique la commande d'un panorama, genre en vogue à l'époque et attraction publique inégalée. Mesdag a le libre choix du sujet et il opte, bien sûr, pour une marine. Il conçoit la toile immense à Seinpostduin à

Willem Roelofs
L'Arc-en-ciel, 1875
Toile, 57,5 x 110,5 cm
La Haye, Haags Gemeentemuseum

Scheveningen et ébauche ses sujets à la craie pour les copier ensuite sur du papier transparent et les agrandir au format voulu. Depuis l'intérieur d'un tube de verre il indique sur le verre les proportions de ce qu'il voit. L'immense pan de lin est alourdi de plomb pour pendre tout droit. Après quatre mois le travail est achevé. Sur le panorama, Mesdag peint lui-même la mer, les bateaux et la plage, sa femme Sina se charge de la vue du village, Théophile de Bock (1851-1903) est engagé pour les dunes et George Hendrik Breitner (1857-1923), pour les cavaliers sur la plage. L'impression de profondeur de cette toile de près de dix-sept cents mètres carrés est prodigieuse. Mais comme le billet d'entrée est assez cher, les visiteurs sont peu nombreux. Six ans plus tard, le propriétaire belge annonce son intention de fermer l'attraction. Mesdag, qui considère le panorama comme une de ses œuvres principales, rachète le musée où la toile est exposée en permanence et continue

l'exploitation en son nom. En 1903, Mesdag et Sina cèdent à l'Etat néerlandais leur importante collection d'objets d'art, notamment de nombreux tableaux français. Les œuvres sont exposées dans la maison que le couple a fait construire à cette fin à la Laan van Meerdervoort à La Haye. Au moment où est rédigé ce livre, le bâtiment est fermé depuis quelque temps déjà et figure sur la liste de monuments à restaurer. Mais jusqu'au moment de la fermeture, il constituait, avec le *Panorama Mesdag*, l'une des grandes attractions de La Haye.

« Tête trop petite, jambes trop longues »

Une Vente de peintures, de 1839, est l'un des premiers dessins de l'Amstellodamois Willem Roelofs (1822-1897). On y voit des références nettes aux professions des personnes représentées, comme un notaire et un pauvre artiste. Fils d'un fabricant de pierre mais ayant des aspirations artistiques, Roelofs doit avoir su que le métier d'artiste n'est pas un chemin couvert de roses. Il prend des leçons chez Hendrikus van de Sande Bakhuyzen (1795-1860), peintre d'animaux et de paysages et, à l'époque, professeur très connu. La décision n'est pas prise au hasard, car trois ans auparavant Roelofs avait fait preuve de sa prédilection pour le paysage en exécutant son premier tableau. A la suite d'un voyage avec son professeur le long de la partie allemande du Rhin, il exécute *Paysage montagneux avec chute d'eau*, qui trouve une place dans l'exposition Arti à Amsterdam. Il fonde avec quelques autres artistes en 1846 à La Haye la société d'art Pulchri Studio, pour exprimer son mécontentement à l'égard de l'association d'artistes Assiduitas, qui refuse d'accepter comme membre le peintre Huib van Hove. La cérémonie de fondation de Pulchri vient d'avoir lieu quand Roelofs part pour Bruxelles où il restera jusqu'en 1887. Il espère pouvoir y vendre mieux, et il a raison apparemment, car très tôt c'est le roi des Belges qui achète l'un de ses tableaux. Quand il se voit décerner en plus une médaille d'or pour l'une de ses autres toiles, il est convaincu d'avoir pris la bonne décision. Il travaille en Belgique près de Bruxelles, mais se rend aussi en France aux alentours de Fontainebleau et de Barbizon.

En 1850 il expose *Paysage d'été*, une toile qui malgré la multitude de détails étale une unité de composition. Son *Paysage avant l'orage*, de 1851, est plus audacieux. Il reproduit l'ambiance que le paysage évoque en lui, poursuivant ainsi pleinement l'idéal de l'école de La Haye. Le tableau est exposé au Salon de Bruxelles et acheté par le musée d'Art moderne. Le romantisme néerlandais apprécie hautement les œuvres de ce genre parce qu'elles imposent au spectateur le respect devant l'œuvre du créateur. Roelofs de son côté veut se limiter à la simple observation et à l'admiration de la nature. Il se rend pourtant bien compte que cette simple observation n'est pas facile à transposer sur la toile. Jeltes, qui écrit un livre sur Roelofs en 1911, cite l'artiste : « Il est si difficile de bien peindre l'air parce qu'il est si étroitement lié au paysage en-dessous. Si on change l'un, il faut inévitablement changer l'autre aussi... Mais ce qui est encore bien plus difficile que d'exprimer la couleur de l'air, c'est de reproduire son effet, le jeu des vibrations dans l'atmosphère. » Il semble que l'improvisation, par laquelle ses contemporains se laissent si volontiers guider, lui soit étrangère. Pour être aussi précis que possible, il aime se servir d'un compas, attribut bien étrange pour un peintre de paysages. A l'aide du compas il calcule d'abord l'emplacement de l'horizon sur la toile qu'il remplit ensuite des autres éléments. Il a dû peindre de la même manière ses tableaux avec des vaches. Au XVIIe siècle déjà les animaux font l'objet de tableaux où ils occupent une place au premier plan. Les animaux de Roelofs se placent aussi à l'avant-scène, mais comme il peint l'horizon bien plus haut que les artistes du XVIIe siècle, le spectateur n'est pas confronté aux animaux de la même manière. Chez Roelofs, ils se confondent bien plus avec l'ensemble du paysage. Travailleur méticuleux, il fait aussi des annotations sur toute étude de vache, telles que : « Tête trop petite, pieds trop longs. » Cette préférence pour les vaches lui vient probablement de Backhuyzen, qui lui aussi les peint souvent, mais chez Roelofs les bêtes sont plus massives et respirent davantage de force.

p.39
Willem Roelofs
La Lisière du bois à Bergen
Toile, 42 x 28 cm
La Haye
Haags Gemeentemuseum

Willem Roelofs
Paysage aux environs de La Haye
Toile, 48 x 75 cm
Amsterdam, Rijksmuseum

Malgré les succès qu'il remporte à Bruxelles avec ses paysages, Roelofs souhaite retourner aux Pays-Bas. De retour à Bruxelles après un séjour d'été aux Pays-Bas, il a souvent le mal du pays, et il écrit en 1865 : « Si j'ai été en Hollande je suis gâché pour un certain temps. Je ne peux me faire à l'idée de vivre ici en permanence. On reste toujours un étranger, et le soutien que l'on peut se donner mutuellement dans son pays me manque. » De longues années s'écouleront avant qu'il décide de retourner définitivement à La Haye. Ce sera en 1887. A partir de 1894 sa santé se dégrade rapidement après deux attaques, mais il continue à peindre, bien qu'à grand-peine. Au printemps de 1897 il part pour Bruxelles où il veut vivre ses derniers jours. Il n'y arrivera pas et meurt à mi-chemin, chez un membre de sa famille, à Berchem, juste à côté d'Anvers.

p.41
Anton Mauve
Torenlaan, Laren, 1886
Toile, 52 x 38 cm
Amsterdam, Rijksmuseum

41

Vincent van Gogh
Souvenir de Mauve, 1888
Toile, 73 x 59,5 cm
Otterlo, Rijksmuseum
Kröller-Müller

Souvenir de Mauve

« Le meilleur de l'école de La Haye », c'est ainsi que Vincent van Gogh appela Anton Mauve (1838-1888). Mauve ne se distingue guère des autres artistes par le choix des sujets, mais son approche est tout autre. Le ciel n'a pas la prépondérance qu'il revêt chez d'autres représentants de l'école de La Haye, il s'attache davantage au sol, en veillant à souligner la relation entre le sol et le ciel. Mauve, fils d'un pasteur mennonite de Haarlem, commence à seize ans son apprentissage auprès du peintre d'animaux Pieter Frederik van Os (1808-1892) et suit en 1858 pendant quelques mois les cours de Wouterus Verschuur (1812-1874). Un séjour avec Paul Gabriël à Oosterbeek, le Barbizon néerlandais, marque un tournant décisif. Il y rencontre Gerard Bilders et Willem Maris. Avec ce dernier il a une grande affinité artistique. Tous deux aiment représenter les animaux, mais si Maris les montre actifs, Mauve les dépeint souvent dans une attitude d'attente, presque apathiques. En témoignent *Barque sur la plage* et *Fermière avec vaches*. L'important, ce n'est pas les animaux en soi, mais leur signification pour l'homme, affirme-t-il. Les animaux figurent sur la toile avec leur berger, et quand il peint des chevaux, il les exécute dans leur fonction de cheval de trait, pour tirer les barques de pêche. On l'appelle parfois « le peintre des moutons », mais sa gamme de sujets est bien plus variée. Il produit des couchers de soleil, des marais, des carrières et des paysages dépourvus d'animaux. Les lieux qu'il choisit changent eux aussi : Oosterbeek, Haarlem, Amsterdam, Scheveningen et La Haye, où il s'établit en 1874. Il s'y installe surtout pour des raisons financières. Les soucis d'argent le hantent toujours, et il espère avoir à La Haye plus de chances de vendre ses œuvres. La présence des trois frères Maris aura aussi joué un rôle. Mais à mesure que La Haye s'urbanise et que les lieux où Mauve aime travailler deviennent plus rares, il commence à peindre dans les provinces de Drenthe et de Gueldre. Puis il déménage à Laren où il établit définitivement sa réputation. On le considère comme le fondateur de l'école de Laren, bien que cela ne soit pas entièrement juste car il n'a pas été le premier peintre à s'installer dans ce village rural. Reste qu'il y est l'artiste le plus en vue et que cela irrite certains peintres de l'école de La Haye qui trouvent ses paysages trop rigides et trop objectifs. Ils considèrent qu'il trahit ainsi leurs principes. Peu après que son médecin eut prescrit le repos absolu à Mauve souffrant des nerfs, il exécute encore son tableau *Au Potager*. Ce sera sa dernière œuvre car il meurt d'une attaque un an plus tard, à l'âge de 49 ans. La consternation ne se limite pas aux Pays-Bas. A Arles, Van Gogh écrit à son frère Théo : « J'ai pris spécialement pour Madame Mauve la meilleure étude que j'ai faite. Je ne sais ce qu'on en dira aux Pays-Bas, mais cela nous est égal. J'ai pensé devoir à la mémoire de Mauve quelque chose de tendre et de gai, et non une étude de style sérieux. » Van Gogh appellera plus tard son *Souvenir de Mauve* le meilleur tableau qu'il eût jamais fait.

Anton Mauve
*La Course à
cheval au matin*,
1876
Toile, 45 x 70 cm
Amsterdam,
Rijksmuseum

Paul Joseph Constantin Gabriël
Paysage près du Gein (n.d.)
Toile, 21 x 30 cm
Collection privée

p.46
Paul Joseph Constantin Gabriël
*Juillet: un moulin sur un canal de
polder,* vers 1889
Toile, 102 x 66 cm
Amsterdam, Rijksmuseum

Plus jamais aux Pays-Bas

La mort de Paul Gabriël (1828-1903) passe beaucoup plus inaperçue que
celle d'Anton Mauve. Sans doute parce que le peintre avait défendu des
thèses trop contrariantes sur l'art. Des notions comme l'imagination et le
sentiment agissaient sur lui comme le drap rouge devant un taureau. Selon
lui, l'imagination est un premier pas vers la démence, et le sentiment dans
l'art masque trop souvent l'ignorance. De tels propos ne sont pas de nature à
rencontrer l'approbation. Par ailleurs, il avait vécu longtemps à Bruxelles et
vendu ses œuvres en Belgique et en France, si bien que sur le plan commer-
cial il pouvait se passer de son pays natal. Beaucoup de Néerlandais le consi-
déraient donc comme un Belge, même si chaque été il séjournait plusieurs
mois aux Pays-Bas.
Né à Amsterdam, fils du sculpteur Paul Joseph Gabriël (1785-1833), il est
prévu qu'il marchera sur les traces de son père. Il commence pourtant par
travailler dans un atelier de menuiserie, puis chez Louis Zocher (1820-1915),
architecte et peintre amateur. Vers 1850, il entre à l'académie de dessin du
peintre paysagiste B.C. Koekkoek (1803-1863) à Clèves, en Allemagne. Ce
dernier est vite convaincu que Gabriël n'a pas le don de la peinture, et
Gabriël est donc contraint de retourner aux Pays-Bas. Après un bref séjour à
Haarlem, où il se spécialise dans la représentation de paysages d'hiver et de
ruines, il se rend à Oosterbeek où il travaille pendant plusieurs années avec
acharnement pour s'approprier les techniques de peinture. Il coopère avec
Mauve et le peintre d'animaux De Haas (1832-1908). Gabriël et De Haas

47

Johan Barthold Jongkind
En Hollande, des barques près d'un moulin, 1868
Toile, 52,5 x 81,3 cm
Paris, musée d'Orsay

produisent en commun plusieurs toiles, où Gabriël exécute le paysage et De Haas les vaches. Mais il ne trouve pas non plus à Oosterbeek l'approbation qu'il recherche. On juge qu' « il n'a pas le don de faire des compositions plaisantes ». Le vent semble tourner en 1860, lorsqu'il vend un de ses tableaux à un Belge et qu'il déménage à Bruxelles pour « ne plus jamais retourner en Hollande ». C'est vrai que Gabriël trouve plus de reconnaissance en Belgique, et on relève bientôt dans ses œuvres l'influence de Barbizon. Le thème du *Paysage avec moulin* est encore typiquement hollandais, mais l'influence française est déjà perceptible.

Dans son tableau *A Groenendaal* on voit plus d'influences distinctes de l'extérieur. La toile est équilibrée dans sa composition, très détaillée, et classique par ses rapports internes. Gabriël s'exprime plus librement, mais ses œuvres témoignent toujours d'une harmonie entre les détails et leur entourage. Gabriël dessine des arbres, des filets de hareng, des canots à rame, mais

p.50-51
Johan Barthold Jongkind
La Traversée vers Delft, 1844
Toile, 23,5 x 31,5 cm
La Haye,
Haags Gemeentemuseum

tous ces éléments ne servent qu'à attirer le regard du spectateur vers l'horizon. Il est également significatif que ses sujets sont d'une grande sobriété. Un polder qui n'a aucune valeur pour d'autres peintres retient son intérêt, mais cela ne va jamais tout seul. Nous connaissons des études préalables de plusieurs de ses œuvres célèbres, comme *La Tourbière de Kampen.* Ces études sont faites et datées avec plusieurs années d'écart. Même si Gabriël travaille d'après la nature, il n'ignore pas les sujets non naturels. Il est le premier aux Pays-Bas à représenter un train, sujet désapprouvé à cette époque pour sa laideur.

Bien qu'il ait juré de ne jamais retourner aux Pays-Bas, il s'établit en 1884 à Scheveningen. A partir de là il entreprend des excursions à Oosterbeek et à Heeze où il se consacre à des sujets typiques de l'école de La Haye, comme les bergeries, les gerbes de blé et les moulins. Toutefois, il ne peut être tenu pour un représentant typique de ce mouvement, car il « enregistre » plutôt qu'il n'« interprète », comme aimaient le faire les Haguenois. Par ailleurs, il trouve que les Pays-Bas sont un pays « trop coloré, succulent et gras, très éloigné du gris ».

Des changements

Au fil des ans, la Haye et ses environs perdent beaucoup de leur charme et de leur intimité à la suite de l'urbanisation croissante. De nouveaux quartiers d'habitation se mettent en place, des usines s'érigent, des dunes sont aplanies. Certains membres de l'école de La Haye partent s'installer dans le hameau de Delden, d'autres à Amsterdam. A la campagne ils peignent les sables mouvants au lieu des dunes et de la mer, les intérieurs des cabanes de pêche cèdent la place aux intérieurs de ferme, les scènes de la vie de La Haye, à celles d'Amsterdam. Mais si les sujets diffèrent quelque peu, la manière de peindre reste inchangée, même si l'on parle rapidement d'une école d'Amsterdam. A la différence de la gamme des gris de l'école de La Haye, les artistes d'Amsterdam ont une riche palette de bruns, ce qui leur vaut le titre de l'*école Brune.*

Un précurseur de l'impressionnisme français

L'école de La Haye pouvait se targuer d'une assez grande popularité au-delà des frontières, mais les représentants de ce mouvement n'ont guère exercé d'influence sur la peinture à l'étranger. Il en va autrement pour leur contemporain Johan Barthold Jongkind (1819-1891). Ayant quitté les Pays-Bas pour Paris grâce à une bourse d'étude, Jongkind s'adonne à un style différent de celui enseigné par son professeur haguenois Andreas Schelfhout. Sous l'égide d'Eugène Isabey, il se forge une renommée grâce à des tableaux où il intègre des éléments impressionnistes, comme des contours flous et des ombres pleines de couleurs. Des problèmes personnels l'incitent à retourner aux Pays-Bas en 1855. Même s'il y traite des sujets typiquement néerlandais, comme *Le Port de Rotterdam,* son œuvre n'y retient guère d'intérêt. Quand il écrit à ses amis français que les ventes sont décevantes dans son pays natal et qu'il souhaite revenir en France, ils réunissent l'argent pour qu'il puisse regagner Paris. Sa puissance de travail redouble, et il remporte des succès avec des toiles qui représentent des patineurs, des canaux et des moulins, des sujets néerlandais par excellence qu'il peint de mémoire. Sa satisfaction personnelle est pourtant plus grande lorsqu'il exécute des tableaux qui reposent sur l'observation directe, comme les toiles telles que *La Seine près d'Honfleur*

Johan Barthold Jongkind
Moulins à Rotterdam, 1870
Toile, 32 x 44 cm
Reims, musée des Beaux-Arts

et *Le Quai de la Seine à Paris*. A la différence des impressionnistes il ne travaille pas à l'huile mais à l'aquarelle, ce qui lui permet de peindre vite quand un sujet le fascine. Cette manière de travailler et sa fidélité aux idées du XIXᵉ siècle sur le paysage font de Jongkind l'un des précurseurs de l'impressionnisme français.

L'école d'Amsterdam

Vers 1880, les peintres néerlandais modernes sont toujours en vogue, et leurs œuvres ne manquent à aucune grande exposition internationale. Leurs toiles sont présentées à Bruxelles, à Paris, à Berlin, à Venise et même aux Etats-Unis. Max Liebermann, qui séjourne régulièrement aux Pays-Bas et peint les mêmes sujets que les représentants de l'école de La Haye, écrit : « C'est à juste titre que la Hollande est par excellence la patrie de la peinture, et ce n'est pas par hasard que Rembrandt était Hollandais. Les brumes qui montent des eaux et enveloppent tout d'un voile transparent donnent au pays son charme pittoresque ; l'atmosphère humide adoucit la sévérité des contours et confère au ciel cette tonalité tendre gris argenté. Les couleurs violentes de l'objet individuel sont atténuées, les ombres lourdes sont dissoutes dans des pleins de couleur ; tout semble baigner dans la lumière et l'air. »

Mais en cette fin de siècle, les conceptions de l'école de La Haye se heurtent de plus en plus aux critiques. Les peintres désireux d'immortaliser la vie d'une population humble et modeste se situent à l'écart des grands mouvements qui s'annoncent ailleurs. Les nouvelles impulsions de la peinture

George Breitner
Le « Singelbrug » près de la rue du Palais, Amsterdam, 1893/1898
Toile, 100 x 152 cm
Amsterdam, Rijksmuseum

néerlandaise ne proviennent plus de La Haye, mais d'Amsterdam, centre du commerce, de l'architecture et de la littérature. Les peintres amstellodamois considèrent dépassé de découvrir la poésie recelée dans le paysage comme l'ont fait les peintres de l'école de La Haye. Il ne s'agit plus de reproduire une ambiance, mais de saisir le mouvement et l'action de la ville.

George Hendrik Breitner (1857-1923) est le représentant le plus marquant de l'école d'Amsterdam. Son regard sur le monde est clairement évoqué dans son autoportrait du début des années quatre-vingts. Une attitude critique caractérise la génération de peintres, sculpteurs et écrivains qui prônent l'individualisme et se regroupent dans le Mouvement de 1880. Après un séjour à Paris, Breitner trouve La Haye trop petite-bourgeoise et il déménage à Amsterdam où tout semble le passionner : les bâtiments, l'activité dans les rues, le théâtre. La toile *Artillerie à cheval* et ses cavaliers au galop en est l'un des nombreux exemples. Il coopère aussi au *Panorama* de Mesdag, où il peint les cavaliers. Son portrait de Madame Theo Frenkel-Bouwmeester fait sensation à l'exposition d'automne de 1887 de la société d'art Arti. La composition comme le format en sont tout à fait inédits. Le portrait représente l'actrice grandeur nature dans l'un de ses rôles de théâtre. Mais ni le public, ni l'actrice elle-même ne sont ravis. Le Théâtre municipal refuse le tableau que Breitner reprend pour y apporter des changements. Ce qui en reste n'est qu'une vague réminiscence de l'œuvre originale, mais elle continue à fasciner, ne serait-ce que par ses dimensions.

Breitner est aussi l'un des premiers à prendre des nus comme sujets de tableau. Les nus sont certes utilisés depuis toujours comme matériel d'étude, mais ils ne sont presque jamais le sujet proprement dit d'un tableau. On en trouve des exemples chez Gustave Courbet (1819-1877) et Edouard Manet

George Breitner
Portrait du peintre par lui-même,
vers 1882
Toile, 40 x 30 cm
Rotterdam, musée Boymans-van
Beuningen

(1832-1883). Ce dernier peint un nu assis dans *Le Déjeuner sur l'herbe* (1863), qui fait scandale. Durant ces années Breitner a comme modèle fixe une femme qu'il photographie souvent avant de la peindre. De même, avant d'exécuter des scènes de la vie urbaine, il en fait souvent au préalable des clichés. Ces photos ont été en grande partie conservées, et nous voyons ainsi que celles des travaux dans la Van Diemenstraat ont servi à élaborer son tableau *Tranchée dans la Van Diemenstraat*.

p.55
George Breitner
Artillerie à cheval, 1886
Toile, 115 x 77,5 cm
Amsterdam, Rijksmuseum

George Breitner, *Le « Rokin » le soir,* Amsterdam, 1904. Toile, 80 x 130 cm, Amsterdam, Stedelijk Museum

George Breitner
Le Kimono rouge,
vers 1893
Toile, 50 x 76 cm
Amsterdam,
Stedelijk Museum

59

Willem Witsen
Le « Oude Schans » à Amsterdam,
vers 1895
Toile, 100 x 129 cm
Amsterdam, Stedelijk Museum

Augustus Allebé
La Visite au musée, 1870
Panneau, 62 x 53 cm
Amsterdam, Stedelijk Museum

Isaac Israëls
Mata Hari, 1916
Toile, 210 x 110 cm
Otterlo,
Rijksmuseum
Kröller-Müller

Amsterdam devient plus importante que La Haye

Si, au tournant du siècle, Amsterdam devient un centre artistique plus en vue que La Haye, ceci tient notamment à August Allebé (1838-1927), directeur de l'académie amstellodamoise des Beaux-Arts. Sa nouvelle manière d'enseigner, qui confère aux artistes beaucoup de liberté, attire de nombreux jeunes peintres. Breitner suit les cours d'Allebé, de même qu'Isaac Israëls, le fils de Jozef Israëls. Parmi ses élèves figurent aussi Willem Witsen (1860-1923), l'écrivain et poète Jacobus van Looy (1855-1930), Antoon der Kinderen (1859-1925) qui deviendra en 1907 directeur de l'académie royale des Beaux-Arts d'Amsterdam, Roland Holst (1868-1938) qui lui succède, Jan Sluyters (1881-1957) et un certain Piet Mondriaan (1872-1944) qui prendra vers 1911 le nom de « Mondrian ». Le succès international des peintres de l'école de La Haye stimule aussi le commerce d'art. Les paysages de bruyère, les canaux, les polders, les moulins sont exécutés en grandes quantités, achetés et reven-

Isaac Israëls
Un Garçon et une fille aux ânes
Carton, 46 x 54 cm
Amsterdam, Rijksmuseum

Isaac Israëls, *Portrait de jeune fille*, vers 1894. Panneau, 33 x 25 cm, collection privée

Piet Mondriaan
Portrait d'une dame, 1898/1900
Aquarelle, 89 x 50 cm
La Haye,
Haags Gemeentemuseum

Piet Mondriaan
Paysage au ruisseau, vers 1895
Aquarelle, 49 x 66 cm
La Haye,
Haags Gemeentemuseum

dus. Le marchand de perruques et peintre non sans mérite Frits Mondriaan (1853-1932) est surtout apprécié pour la sûreté avec laquelle il reproduit le bois de La Haye, mais on le rencontre aussi régulièrement avec son chevalet à Winterswijk, où il se rend chez son frère Pieter Cornelis, principal de l'école primaire chrétienne. Lors de ses randonnées, Frits est souvent accompagné par Piet, le fils de son frère. Ces excursions en commun ne restent pas sans conséquence, car le neveu décide de bonne heure de faire de la peinture son métier. Sa famille, qui entrevoit les aléas d'une existence d'artiste, lui conseille d'obtenir un diplôme lui permettant d'enseigner le dessin. En 1889 Piet Mondriaan réussit le premier degré du diplôme de dessin et trois ans plus tard, le second, qui lui donne le droit d'enseigner le dessin dans les écoles secondaires. Un travail complet d'enseignant lui semble cependant incompatible avec ses aspirations, et en 1892 Mondriaan, alors âgé de vingt ans, s'inscrit à l'académie des Beaux-Arts à Amsterdam. Il loue une chambre chez le libraire réformé Wormser, dans la Kalverstraat, et gagne sa vie en exerçant divers petits métiers. Il donne des leçons de dessin, copie des tableaux dans les musées et peint des images de bactéries pour l'université de Leyde. Mais il exécute aussi le dessin d'une chaire pour l'église anglicane du béguinage d'Amsterdam, il dessine quelques couvertures de livres pour le propriétaire de la maison où il habite et exécute la peinture du plafond d'une maison sur la Keizersgracht.

Piet Mondriaan
Portrait de l'oncle Frits, 1898

Piet Mondriaan
Maison à Abcoude, 1898/1900
Aquarelle et gouache,
45,5 x 58,5 cm
La Haye,
Haags Gemeentemuseum

Piet Mondriaan
Forêt, 1898/1900
Aquarelle et gouache, 45,5 x 57 cm
La Haye,
Haags Gemeentemuseum

Mondriaan dans son atelier, 1903

« A l'âge de vingt-deux ans j'ai commencé, écrit-il, une période bien difficile. Pour gagner ma vie, j'ai fait des dessins bactériologiques destinés à illustrer des livres ou à figurer dans les salles de classe, des portraits, des copies de tableaux de musée, et je donnais en plus des leçons. J'ai commencé aussi à vendre des paysages. C'était un exercice de corde raide, mais je parvenais à gagner juste assez d'argent pour faire ce que voulais. »

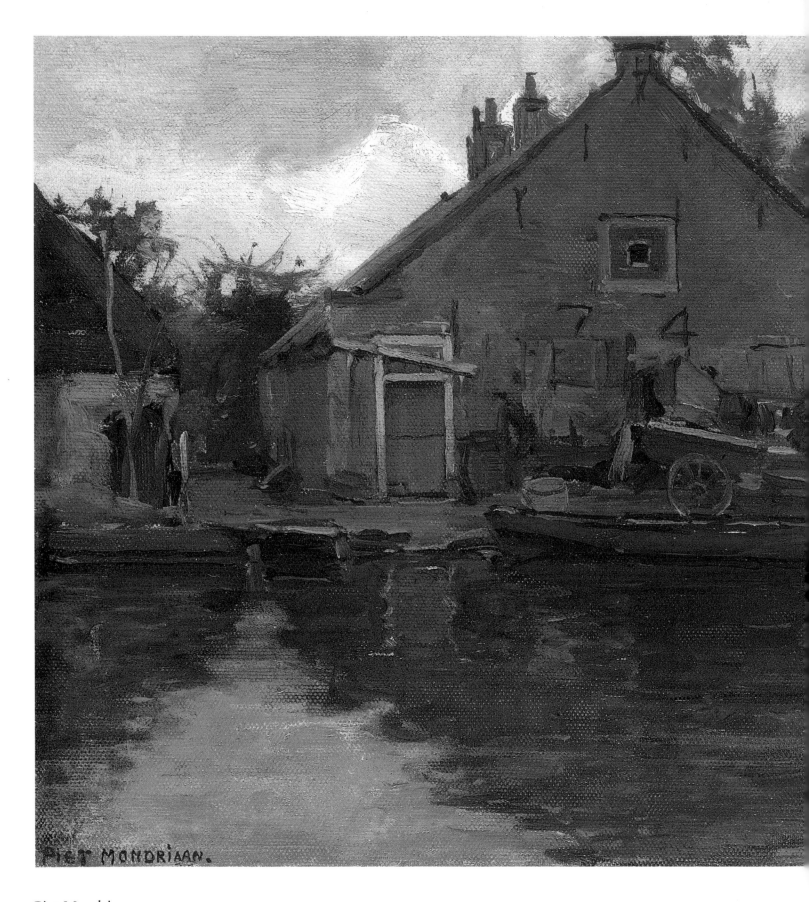

Piet Mondriaan
Maison sur le Gein, 1900
Toile, 23,5 x 31 cm
collection privée

Simon Maris
Mondriaan, peignant sur le Gein, 1906
crayon, 18 x 11,5 cm
La Haye, Haags Gemeentemuseum

Piet Mondriaan
*Portrait d'une fille avec
des fleurs,* 1900/1901
Toile, 53 x 44 cm
La Haye,
Haags Gemeentemuseum

Piet Mondriaan
Ferme à Nistelrode, 1904
Aquarelle, 48 x 62 cm
La Haye,
Haags Gemeentemuseum

Jusqu'au tournant du siècle, Piet Mondriaan produit beaucoup de scènes de ville dont il élabore les esquisses dans son atelier. Nous ne conservons que très peu de ces travaux parce qu'il jetait ce qui ne lui plaisait pas. On ne peut guère parler d'une conception artistique personnelle à l'époque. Cela changera dès qu'il travaillera aux environs d'Amsterdam, avec Simon Maris, le fils de Willem Maris. En 1900, il exécute *Maison sur le Gein*, une petite rivière qui coule d'Abcoude à Weesp. La toile rappelle encore le style de l'école de La Haye, mais le losange, formé par la maison et son reflet dans l'eau, est un élément nouveau dans le language artistique de l'époque.

Un beau rêve indestructible

En 1898 et 1901 Mondriaan concourt pour le prix de Rome. Il est présélectionné mais ne réussit pas à remporter le prix. Son œuvre manque encore d'originalité. En 1903 il traverse une crise morale après s'être distancié du cercle du protestantisme strict de sa famille et avoir vécu pendant quelques années dans des milieux anarchistes d'Amsterdam. Le travail intense et les personnes qu'il fréquentait ont probablement contribué à son désarroi. Par ailleurs, il rompt avec une amie de crainte de perdre son indépendance de peintre si leur relation aboutissait au mariage. Mondriaan confie à son ami de jeunesse Albert van den Briel que son œuvre souffre des événements d'Amsterdam, et il accepte la proposition des Van den Briel de venir habiter à Uden, dans le Brabant. La vie au village lui fait du bien, et il y reste un an. C'est une année de grande productivité, et on reconnaît dans les tableaux de cette époque comment il expérimente avec la lumière, les lignes et les aplats.

Piet Mondriaan
Paysage, 1907
Carton, 64 x 76,5 cm
La Haye,
Haags Gemeentemuseum

Piet Mondriaan
Moulin au bord du Gein, 1906/1907
Toile sur panneau, 34,5 x 44,5 cm
La Haye,
Haags Gemeentemuseum

Piet Mondriaan
Ferme, le soir, 1907
Carton, 63 x 75 cm
La Haye,
Haags Gemeentemuseum

Ses sujets favoris sont les moulins, les fermes, les granges et les portes d'étable. Pendant cette période, le choix des sujets le rattache encore à l'école de La Haye, mais il est frappant de constater qu'il procède à une juxtaposition des paysages, du bétail et des moulins et qu'il ne les combine plus les uns aux autres. Il trace les formes principales, sans détails, pour qu'elles attirent toute l'attention. Il peint d'ailleurs les mêmes sujets plusieurs fois, mais de manières différentes. Il travaille de préférence dans la pénombre pour rendre le sujet choisi plus imposant. Les couleurs qu'il utilise sont des tons de rouge, le blanc cassé, le bleu, le vert et le jaune. Ses tableaux d'intérieur diffèrent eux aussi de ceux de l'école de La Haye. Mondriaan s'attache à l'espace plus qu'aux hommes qui y vivent. « Je fis mes esquisses souvent au clair de lune – des vaches au repos, immuables dans les pâturages hollandais, ou des maisons aux fenêtres mortes, vides. Déjà, j'avais le mouvement en horreur, surtout celui des hommes en action », dira-t-il plus tard en évoquant l'œuvre de sa période du Brabant.

Piet Mondriaan
Duivendrecht, 1905
Aquarelle, 38,5 x 61 cm
La Haye,
Haags Gemeentemuseum

Après un an il commence à regretter Amsterdam, la ville qui lui est indispensable pour stimuler sa créativité. Mais il décrira un jour l'an qu'il avait passé à Uden comme « un beau rêve indestructible ». Van den Briel évoque la période dans le Brabant en ces termes : « Ce fut pour lui une révélation, surtout les hommes : des fermiers. La communication avec ces gens simples, ...ces tempéraments directs, forts et croyants, n'aurait pas été possible en

Mondriaan adolescent

Mondriaan dans son
atelier d'Amsterdam, 1905

ville, c'est du moins ce que disait Piet. Là, l'âme des gens se cache sous une écorce plus rude. » De retour à Amsterdam, Mondriaan devient membre du comité directeur, bibliothécaire et archiviste de l'association Saint-Lucas, qui se consacre à la peinture moderne. Il remporte en 1906 avec quatre autres artistes le prix Willink van Collen pour l'une de ses natures mortes et semble prendre de l'assurance.

Piet Mondriaan
Moulin au clair de lune, 1906/1907
Toile, 99,5 x 125,5 cm
La Haye,
Haags Gemeentemuseum

p.80-81
Piet Mondriaan
Nuit d'été, 1906/1907
Toile, 71 x 110,5 cm
La Haye,
Haags Gemeentemuseum

Mondriaan peint de l'automne
1906 à l'été 1907 près de Saasveld.
La partie antérieure de la ferme
est son atelier.

Piet Mondriaan
Étang près de Saasveld, 1906/1907
Toile, 102 x 180,5 cm
La Haye,
Haags Gemeentemuseum

La rue St-Jans à Uden (Brabant).
L'atelier de Mondriaan est la
deuxième maison à droite.

Mondriaan dans son atelier, 1909

La toile *Étang près de Saasveld*, de 1907, montre comment les détails s'intègrent déjà dans un plus vaste ensemble où dominent les contours. Les détails s'effacent encore davantage dans *Nuage rouge*, où une tache de couleur donne le ton. Avec *Nuage rouge* il semble s'être détaché entièrement de l'école de La Haye, et il peint désormais dans le style de l'expressionnisme qui se répand dans toute l'Europe. Ces néo-impressionnistes ont une palette de couleurs violentes et sont surnommés en France *les Fauves*. De même, la couleur détermine l'ambiance que Mondriaan évoque dans *Arbres au bord du Gein, lune montante*. Il avait peint ces mêmes arbres auparavant, mais alors dans le vert de leur couleur naturelle. Le tableau respire encore l'ambiance de l'école de La Haye, mais les arbres y figurent comme des structures rigides qui existent de leur propre droit. Dans *Arbres au bord du Gein* Mondriaan approfondit l'effet de la rigidité. Il ne s'écarte pas encore entièrement de la nature, mais les arbres servent l'un de ses grands objectifs, qui est d'exprimer l'harmonie dans le paysage.

Piet Mondriaan
Arbres au bord du Gein,
lune montante 1907/1908
Toile, 79 x 92,5 cm
La Haye,
Haags Gemeentemuseum

Piet Mondriaan
Nuage rouge, 1907
Carton, 64 x 75 cm
La Haye,
Haags Gemeentemuseum

Mondriaan fait un bref voyage
en Espagne avec son ami Simon
Maris, probablement en 1908.
Ces photos ont été prises
à Bordeaux.

Piet Mondriaan
Ferme près de Duivendrecht,
vers 1908
Toile, 85,5 x 108,5 cm
La Haye,
Haags Gemeentemuseum

Mondriaan vers 1908

Piet Mondriaan
Bois près d'Oele, 1908
Toile, 128 x 158 cm
La Haye,
Haags Gemeentemuseum

Piet Mondriaan
Paysage, le soir,
1908
Toile, 64 x 93 cm
La Haye, Haags
Gemeentemuseum

Piet Mondriaan
Arbres au bord du Gein, 1908
Toile, 69 x 112 cm
Heino,
Hannema-de Stuers Fundatie

Piet Mondriaan
*Phare de
Westkapelle,*
1909/1910
Toile, 135 x 75 cm
La Haye, Haags
Gemeentemuseum

p.97
Piet Mondriaan
*Phare de
Westkapelle,*
1909
Carton,
39 x 29,5 cm
La Haye, Haags
Gemeentemuseum

P. MONDRIAAN.

Piet Mondriaan, *Fermier zélandais*, 1909/1910, toile, 69 x 53 cm
La Haye, Haags Gemeentemuseum

98

Toorop et son cercle

Mondrian fait la connaissance du cercle qui gravite autour de Jan Toorop (1858-1928) par l'intermédiaire de Cornelis Spoor. Toorop est un artiste aux talents multiples ; il dessine et il peint, est graveur et céramiste, musicien et affichiste. C'est lui aussi qui coopère à l'exposition organisée à Amsterdam en l'honneur de Vincent van Gogh. Ses œuvres sont d'inspiration française et s'apparentent au pointillisme et au divisionnisme de George Seurat (1858-1891), qui veut reproduire directement les couleurs qu'il observe en employant de petites touches séparées et le pointillé. Cette technique n'aboutit pas à des tableaux d'une grande précision, mais tel n'est pas son objectif. Ce qu'il cherche, c'est une image vigoureuse, renforcée par des couleurs contrastantes. Toorop ne compose pas non plus ses tableaux d'après la réalité perceptible, et il utilise une technique qui rend la lumière plus éclatante encore que dans les toiles de Seurat. Dans ses œuvres luministes, l'éclairage est l'élément primordial au point que l'objet, par exemple un moulin, se détache sur un fond indécis. Par ailleurs, le style est plus délié que celui de Seurat. Toorop est vite considéré comme l'un des chefs de file du pointillisme et devient par la suite un peintre symboliste de premier plan.

Jan Toorop
Le Canal Middelburg-Flessingue,
1907
Carton, 31 x 41 cm
La Haye,
Haags Gemeentemuseum

Jan Toorop
Prière avant le repas, 1907
Carton, 74 x 100 cm
Middelburg, Zeeuws Museum

A la plage de Domburg

Jan Toorop
Les Dunes et la mer à Zoutelande, 1908
Carton, 47,5 x 61,5 cm
La Haye,
Haags Gemeentemuseum

Lorsqu'il habite à Machelen, un village près de Bruxelles, il est membre de l'association d'artistes Les Vingt. A Paris, ce groupe expose en 1884, l'année même de sa fondation, des tableaux de représentants de l'école de La Haye, tels que Jozef Israëls, Jacob Maris et Anton Mauve. D'autres expositions montrent les dernières tendances de Paris. Le cercle artistique de La Haye, créé à l'initiative de Toorop en 1891, organise l'année suivante une exposition qui, outre des œuvres de Toorop, comprend des tableaux d'artistes belges et français. Toorop fait ainsi connaître aux Néerlandais les peintres étrangers, si bien que l'exposition est un trait d'union entre Amsterdam, Bruxelles et Paris. Pendant l'été, Toorop séjourne régulièrement à Domburg et dans l'île zélandaise de Walcheren. L'artiste Mies Drabbe écrira plus tard qu'entre 1901 et 1914 il y avait à Domburg « un remue-ménage artistique très animé ». Jan Toorop est l'axe autour duquel tout gravite. Il fait bâtir une petite salle d'expositions à l'intention des artistes néerlandais et étrangers et exerce, selon Mies Drabbe, « un pouvoir magnétique ». « Boutens s'y rendait tous les ans, Arthur van Schendel était à Domburg, des musiciens allemands lui rendaient visite, et il était toujours le point de mire. » La station balnéaire huppée devient ainsi un noyau culturel prospère, assez éloigné des centres urbains. Piet Mondriaan, qui passe en septembre 1908 quelque temps à Domburg, commence lui aussi à utiliser des couleurs plus vives. A la fin de cette même année, avec Cornelis Spoor et le peintre luministe Jan Sluyters, il soumet une demande au Stedelijk Museum d'Amsterdam afin de pouvoir y

Piet Mondriaan. *Moulin au soleil*, 1908, toile, 114 x 87 cm
La Haye, Haags Gemeentemuseum

Piet Mondriaan
Église de Domburg, 1909
Carton, 36 x 36 cm
La Haye,
Haags Gemeentemuseum

exposer en commun leurs œuvres. Un mois plus tard, cette exposition devient réalité. Les trois artistes précisent sur la carte d'invitation : « Le motif qui nous a amenés à organiser cette exposition est l'impossibilité de donner dans les grandes expositions une idée exacte de notre démarche et de la nature propre de notre œuvre. Nous espérons atteindre ce but grâce à l'entremise bienveillante de la municipalité d'Amsterdam. »

Des syndromes typiques

Les expériences avec la lumière auxquelles se livre Mondriaan apparaissent nettement dans le tableau *Bois près d'Oele.* Pendant cette période il peint des forêts, des paysages, des fermes et des moulins, le jour en plein soleil et le soir à la lumière de la lune, mais de préférence quand il fait clair ou sombre,

Jan Sluyters
Soleil d'octobre à Laren, 1910
Toile, 50 x 55 cm
Haarlem, musée Frans Hals

lorsque les détails se perdent et que les grands contours se détachent d'autant plus vigoureusement. Selon Mondriaan ce ne sont pas des tableaux romantiques, mais des abstractions réalistes. Son style luministe se révèle aussi dans son tableau de 1908, *Moulin au soleil.* Ce qui frappe d'emblée ce sont les couleurs primaires, le rouge, le jaune et le bleu, que notre rétine distingue le mieux. La simplification qu'il avait jusque-là principalement cherchée au plan des structures trouve son complément dans le coloris. Mondriaan est vivement attaqué lorsqu'il expose en 1908 pour la première fois *Moulin au soleil* et *Bois près d'Oele.* La critique de l'auteur Frederik van Eeden est significative à cet égard : « Jamais auparavant je n'ai vu des cas aussi nets de décadence aiguë. Ce sont, en termes médicaux, des syndromes typiques. La chute de Mondriaan est tragique et effroyable. C'est lui qui était le plus doué, c'est lui qui tombe le plus bas. Que de motifs superbes dans sa période antérieure ! Sa perception de la nature est grandiose et noble. Ici et là, son coloris est merveilleusement beau, mais aucune de ses œuvres n'atteint la maturité, et parmi toutes ses esquisses et études il n'y en a pas une qui soit un chef-d'œuvre achevé. On ne voit pas bien qui lui aura tourné la tête. Probablement Van Gogh. Mais il est sûr que, loin de toute tradition académique, il

Le pavillon des expositions
à Domburg

Couverture du catalogue de
l'exposition de 1912, avec
un portrait par Jan Toorop

1912

CATALOGUS

Documentatiecentrum
Zeeuws Deltagebied

Tentoonstelling van Schilderijen
DOMBURG, Juli-Augustus 1912

yp. Gebr. Van Straaten, Middelburg.

Jacoba van Heemskerk, *Bois en été*, vers 1910, toile, 57 x 44,5 cm, Middelburg, Zeeuws Museum

Piet Mondriaan
Arbre 1, 1908/1909
Craie sur papier, 31 x 44 cm
La Haye,
Haags Gemeentemuseum

a entièrement perdu l'équilibre et a commencé un barbouillage atroce. Une décadence se trahit d'abord par la perte du sens de la couleur. Dans le cas d'une décadence chronique de tout un peuple, nous constatons que le sens de la couleur est le premier à s'affaiblir. Chez Mondriaan, ce symptôme se manifeste par une épouventable orgie de couleurs les plus rudes, barbares et criardes qu'il puisse étaler. Tout ce qui est dessin, composition ou technique est perdu, quelques-unes de ses dernières toiles sont des sottises, simplement d'horribles barbouillages de gamin. Le travail d'un enfant malade, destructeur, qui a à sa disposition quelques pots de peinture. » Mondriaan répond en observant que nous ne pouvons reproduire dans un tableau les couleurs telles qu'elles existent dans la nature et qu'il cherche donc à les présenter autrement. Nous retrouvons cette manière de voir dans sa série de tableaux d'arbres, qui date de 1908. *Arbre I* est encore une représentation d'après nature, *Arbre bleu* l'est déjà beaucoup moins, et dans *Arbre rouge* Mondriaan cherche à transformer la réalité. Tout comme dans *Moulin au soleil*, il ne veut pas suggérer la profondeur ; au contraire, l'arbre doit former une unité avec le ciel. Peindre, ce n'est pas « représenter, mais imaginer », une vue qu'il partage avec l'artiste Jacoba van Heemskerk (1876-1923), avec qui il travaille souvent en plein air. Ils sont sur la même longueur d'ondes en ce qui concerne l'art « qui montre l'essence de la nature ». Elle exécute, comme Mondriaan, non pas les arbres eux-mêmes, mais la sensation que ces arbres peuvent susciter.

Piet Mondriaan
L'Arbre bleu, 1908/1909
Carton, 75,5 x 99,5 cm
La Haye,
Haags Gemeentemuseum

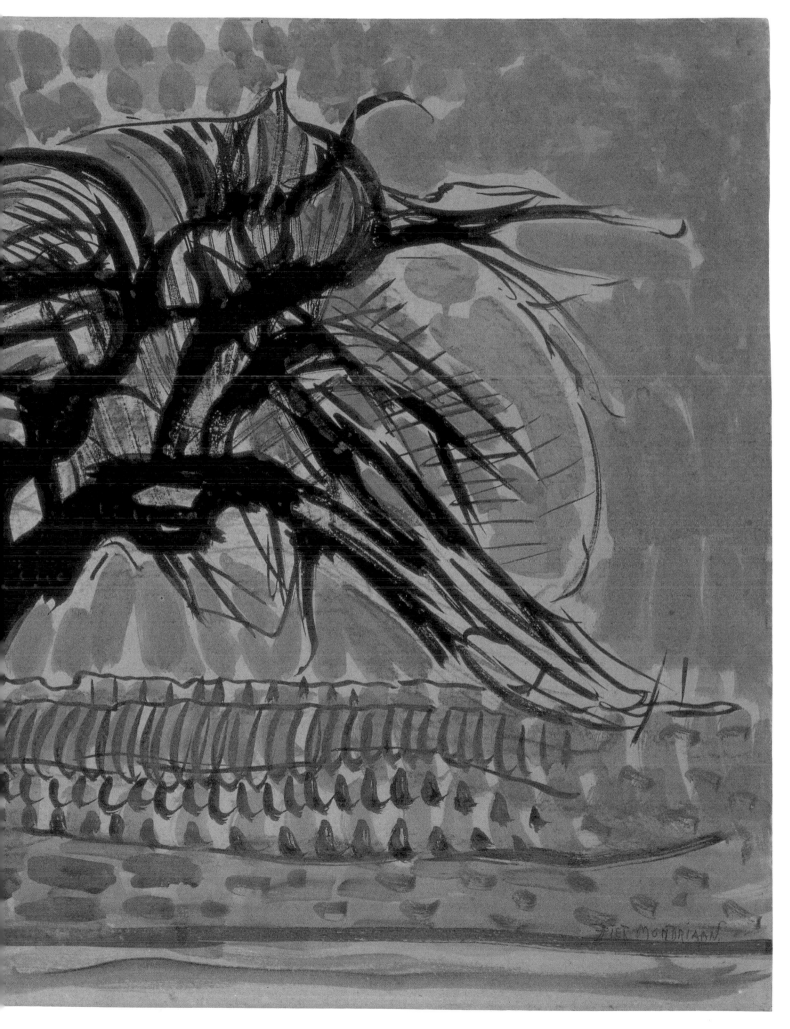

109

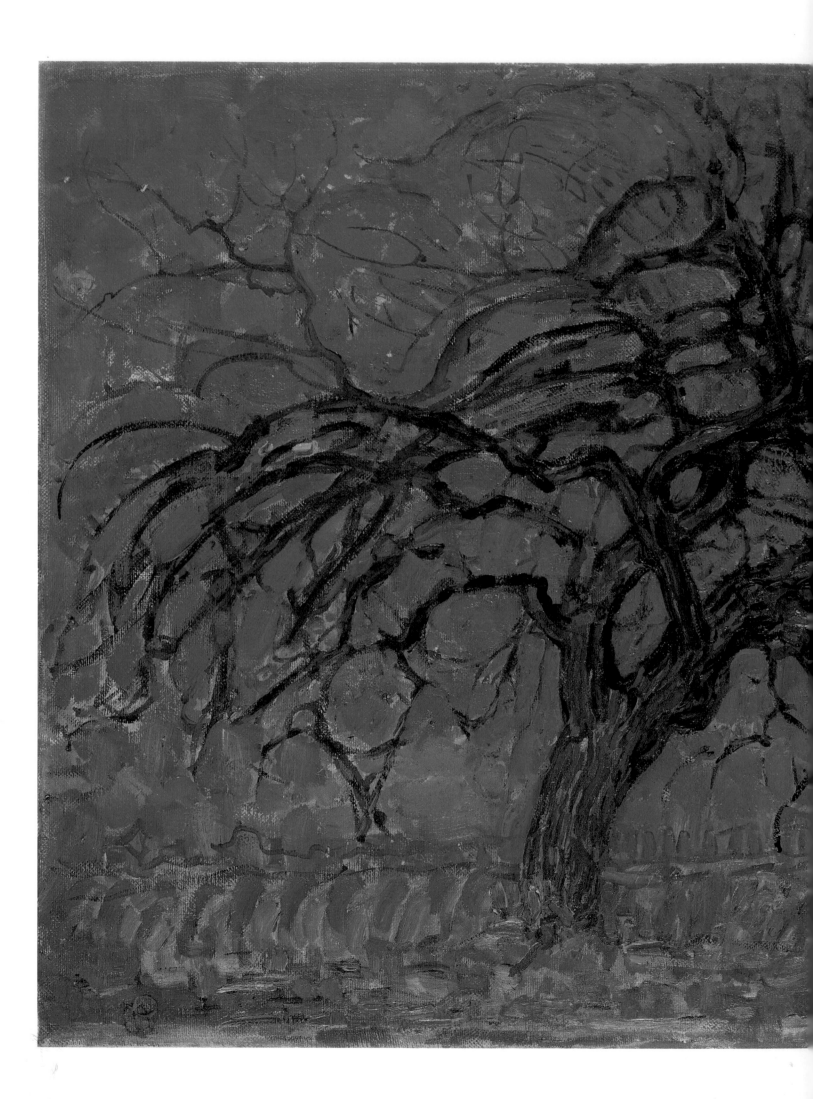

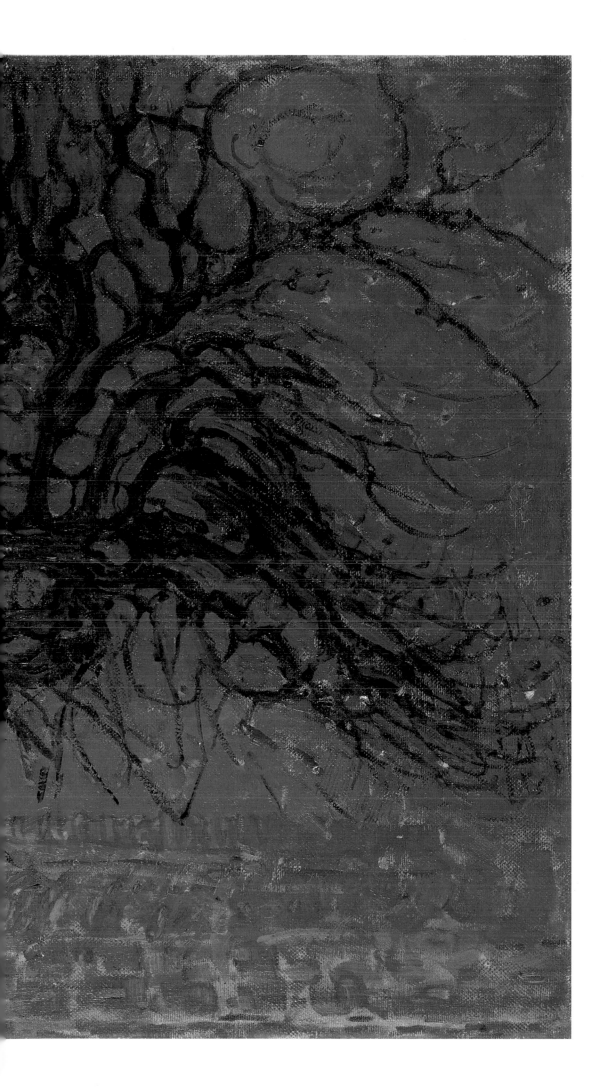

Piet Mondriaan
L'Arbre rouge, 1908
Toile, 70 x 99 cm
La Haye,
Haags Gemeentemuseum

Piet Mondriaan
Dune III, 1909
Carton, 29,5 x 39 cm
La Haye,
Haags Gemeentemuseum

Piet Mondriaan
Dune V, 1909/1910
Toile, 65,5 x 96 cm
La Haye,
Haags Gemeentemuseum

Piet Mondriaan
Église de Domburg, 1909
dessin, 41,4 x 28 cm
La Haye,
Haags Gemeentemuseum

p.115
Piet Mondriaan
Église de Domburg, 1910/1911
Toile, 114 x 75 cm
La Haye,
Haags Gemeentemuseum

Des fleurs fanées

Piet Mondriaan
Chrysanthème, 1908
Gouache, 94 x 37 cm
La Haye,
Haags Gemeentemuseum

p.117
Piet Mondriaan
Phare de Westkapelle, 1908
Toile, 71 x 52 cm
La Haye,
Haags Gemeentemuseum

Mondriaan est de plus en plus confirmé dans ses idées que la vie repose sur l'évolution, et il s'intéresse pendant cette période aux idées théosophiques qui soulignent la convergence de la religion, de la philosophie, des sciences et de l'art. Il estime que l'artiste a pour tâche d'exprimer cette union. L'un des aspects de la vie que l'art a tendance à écarter, c'est la mort, l'élément destructif de la nature. Pourtant, la mort est dans la vie, tout comme la naissance, et l'extinction signifie une étape vers une vie nouvelle. Des dessins antérieurs nous permettent de conclure que le monticule dans son tableau *Bois près d'Oele,* peint pour le reste avec des lignes raides, est un tertre funéraire. La violente opposition entre le jaune et le blanc est de nature à figurer l'éternel qu'il veut représenter dans le cycle de la naissance à la mort. Les tableaux aux chrysanthèmes fanés doivent exprimer les mêmes idées. En réaction à une critique, il écrit qu'il n'a pas l'intention de peindre la beauté d'une fleur. « Ce qui, dans une fleur, nous émeut en tant que beauté, mais qui n'émane pas du plus profond de son essence, de sa forme et de sa couleur, est certes beau, mais n'est pas la forme la plus intrinsèque de la beauté. Moi aussi, j'éprouve la beauté de la fleur dans son apparence, mais elle recèle encore une autre beauté, plus profonde celle-là. Je ne savais pas comment lui donner forme lorsque je peignis ce chrysanthème flétri à la tige allongée. » Ce n'est pas seulement cette fleur, dans laquelle nous reconnaissons un crâne humain, qu'il peint sous l'influence de la théosophie. D'autres chrysanthèmes, aux lignes finement tracées à la japonaise, illustrent son souci de représenter la mort comme la transition vers une autre réalité.

Le *Phare de Westkapelle,* de 1908, apporte un nouveau thème dans l'œuvre de Mondriaan. Le phare se compose de lignes austères et d'une masse verticale, qui se détache sur un horizon bas. Cette image verticale contraste fortement avec ses marines de la même période. L'idée fondamentale de cette opposition provient tout droit de la théosophie. La recherche de l'unité entre l'homme et la nature, prônée par les théosophes, l'incite à simplifier à la fois sa palette et ses structures. Un an plus tard, il reprend le sujet du phare, mais il change de technique. Si dans la version de 1908 il tente de mettre le bâtiment le plus nettement possible en valeur, la deuxième version essaie d'émousser le contraste, et la tour semble se fondre dans son environnement. Cet effet est accentué par les touches pointillistes avec lesquelles il applique la couleur.

Les sujets qu'il a peints jusqu'alors ont en commun d'être des créations de l'homme. Mais ses idées sur l'évolution l'amènent à rendre l'infinité de la nature. Et où peut-on mieux découvrir l'infini qu'au bord de la mer ? En Zélande, Mondriaan exécute surtout des tableaux de dunes et des marines. Les toiles marquent nettement l'horizon, et il semble qu'il veille à nouveau à souligner l'opposition entre le vertical de l'œuvre humaine – les moulins, les tours – et l'horizontal de la nature – la mer. La simplification des formes et des coloris trouve son apogée dans *Le Moulin rouge* où il se livre une fois de plus à des expériences avec les couleurs. Le rouge du moulin est tenu en équilibre par le bleu de l'air. A nouveau, les commentaires fusent : « Une épouvantable orgie de couleurs les plus brutales et barbares. Le moulin ruis-

Piet Mondriaan
Lis, 1909/1910
Fusain et gouache, 35 x 44 cm
La Haye,
Haags Gemeentemuseum

selle de sang. » Un autre critique écrit à l'occasion de l'exposition Saint-Lucas où sont réunis les peintres de Domburg : « Si, de trois côtés de la salle, l'œil distingue sans grand-peine dans tous ces points bigarrés des figures et peut essayer de retrouver la beauté, ici des points et des traits rouges et bleus explosent dans un désordre sauvage et se juxtaposent dans des couleurs dures et criardes. J'ai ressenti une douleur aiguë, je me suis détourné et j'ai ainsi aperçu un lys du même peintre, une aquarelle si subtile et si idéalisée que les toiles pendues à côté sont devenues encore plus insaisissables. Je suis retourné de l'autre côté. » Comparant ses propres tableaux avec ceux des autres peintres, Mondriaan estime que ces derniers manquent de base philosophique. « Ce qui leur fait défaut, c'est une voie ascendante, une région plus raffinée. » Dans une lettre à l'écrivain Israël Querido (1872-1932), il explique que la transparence de la technique doit aller de pair avec la clarté de la pensée. Il affirme qu'il part toujours lui-même de la réalité telle qu'elle peut être perçue par les sens, mais qu'il tente de lui ajouter une dimension philosophique. Lorsqu'on lui reproche le fait qu'ainsi ses tableaux restent fermés à beaucoup de gens, il répond qu'il en reste suffisamment pour les comprendre. Un an plus tard, l'exposition Saint-Lucas est qualifiée de « triomphe de Domburg ». Selon Loosjes-Terpstra, ce succès tient surtout à la révélation de la maîtrise de Mondriaan.

p.119
Piet Mondriaan
Chrysanthème mourant, 1908
Toile, 84,5 x 54 cm
La Haye,
Haags Gemeentemuseum

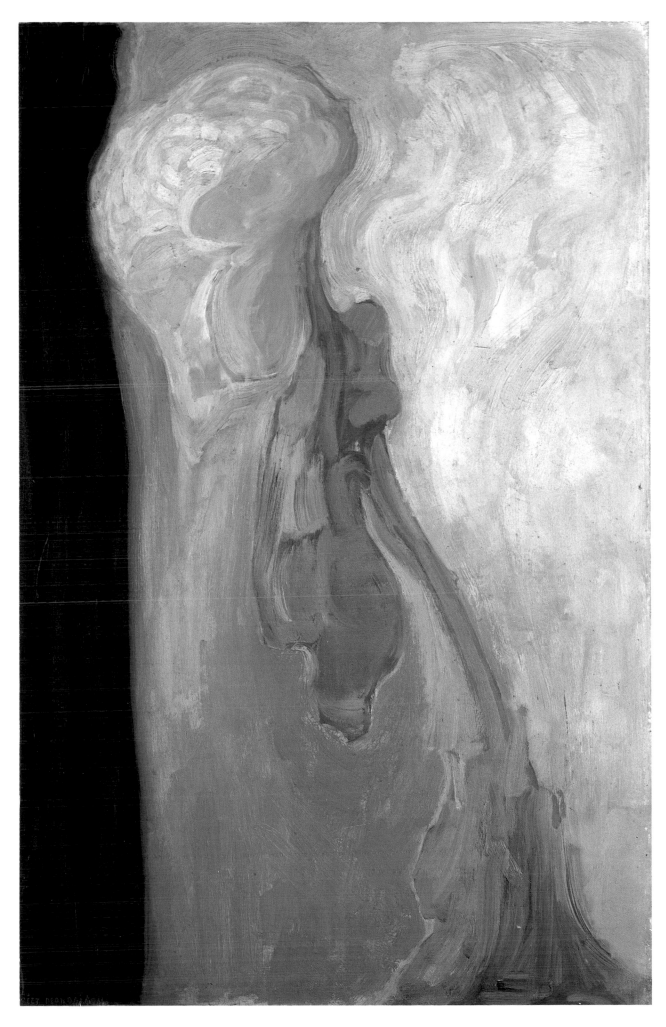

119

Piet Mondriaan
Soleil mourant II, 1907/1908
Carton, 65 x 34 cm
La Haye,
Haags Gemeentemuseum

p.120
Piet Mondriaan
Portrait du peintre par lui-même,
1908/1909
Fusain et craie, 79,5 x 53 cm
La Haye,
Haags Gemeentemuseum

Paul Cézanne
Montagne Sainte-Victoire, 1904/1906
Toile, 65 x 81 cm
Zurich, collection E.G. Bührle

Le parfum du cubisme

Mondriaan fonde en 1910 avec Jan Toorop et quelques autres artistes le Cercle d'Art moderne. Par le biais de cette association indépendante, ils peuvent organiser eux-mêmes des expositions, la première ayant lieu en 1911 à Amsterdam. Elle entend surtout rendre hommage aux cubistes français, tels Paul Cézanne (1839-1906), Georges Braque (1882-1963) et Pablo Picasso (1881-1973), originaire d'Espagne mais vivant à Paris. Les murs sont couverts de près de cent-soixante-dix tableaux, dont quatre-vingt-dix d'artistes étrangers. C'est la première fois que l'art moderne français est aussi amplement présenté au public des Pays-Bas. Parmi les Néerlandais figurent Mondriaan, Kees van Dongen (1877-1968), Otto van Rees (1884-1957), Jacoba van Heemskerk, Lodewijk Schelfhout (1884-1943), Jan Sluyters, Jan Toorop et sa fille Charley. « Traiter la nature par le cylindre, la sphère, le cône, le tout mis en perspective, soit que chaque côté d'un objet, d'un plan, se dirige vers un point central », écrit Paul Cézanne. Mondriaan trouve dans le cubisme des repères pour sa propre recherche et estime qu'il convient parfaitement pour exprimer sur la toile ses idées sur l'évolution du matériel vers le spirituel. Le cubisme – le nom viendrait d'un commentaire du critique d'art Louis Vauxelles sur une exposition de Georges Braque où celui-ci avait réduit les objets représentés à la forme de cube – est décrit comme « la réalité à l'envers ». Braque, qui avait peint de nombreux paysages à la manière des Fauves, voit dans les sculptures en carton dur une meilleure possibilité d'exprimer ses idées. Picasso, de son côté, s'est laissé influencer par l'art primitif africain et se consacre aux collages. C'est lui qui dit que le cubisme est « une réalité insaisissable. Il est comme un parfum, on le sent partout, mais on ne sait pas d'où il vient ».

A la différence de La Haye et de Rotterdam, Amsterdam compte peu d'expositions présentant des œuvres de peintres de l'étranger pendant les années avant 1911. Les gris de l'école de La Haye et les bruns de l'école d'Amsterdam – appelée aussi école de Breitner – passent encore pour des mouvements modernes. Mais les toiles aux couleurs éclatantes que Jan Sluyters a faites à Paris déchaînent les critiques. L'un d'eux appelle Sluyters « le malade le plus distingué de l'infirmerie », après avoir constaté la folie qui s'était abattue sur Mondriaan et Jacoba van Heemskerk, au vu de leur choix des couleurs. La comparaison entre Mondriaan et Sluyters n'est pas tout à fait arbitraire, parce qu'en 1907 et 1908 Jan Sluyters allait régulièrement avec Mondriaan peindre dans la nature. Une influence réciproque est certaine. En témoigne *Paysage*, tableau luministe de Sluyters de 1910, lequel présente une ressemblance frappante avec *Bois près d'Oele*. De même, *Nuit au clair de lune II, Laren* peut faire figure de variante du tableau *Arbres au bord du Gein, lune montante*. Le communiqué de presse de l'exposition internationale d'art moderne organisée au Stedelijk Museum annonce : « Ces tableaux représen-

Georges Braque
Maisons à L'Estaque, 1908
Toile, 73 x 60 cm
Bern, Kunstmuseum

Pablo Picasso
Famille d'artistes, 1908
Toile, 100,5 x 81 cm
Wuppertal, musée Von-der-Heydt

tent bien quelque chose, mais seulement des choses intérieures. Ils expriment la vie affective en lignes et en couleurs. Les images de la nature ne sont qu'un prétexte ; le fondement, la véritable raison d'être du tableau, ce sont la ligne et le coloris. » Mondriaan y présente pour la première fois ses tableaux *Arbre rouge* et *Évolution*, et on lui reproche de vouloir sensibiliser le public à la théosophie. Il est vrai que Mondriaan adhère à la Société théosophique des Pays-Bas et qu'il a peint son triptyque *Évolution* en s'inspirant de ses nouvelles conceptions philosophiques. La forme du triptyque s'emploie surtout pour des œuvres à contenu religieux, et Mondriaan y exprime les trois étapes que l'homme doit traverser : la souffrance, la conscience et la transcendance vers une autre réalité. Le panneau de gauche, représentant une femme avec des fleurs rouges posées sur les épaules, est le symbole de l'humanité souffrante ; le panneau de droite représente le processus de prise de conscience, indiqué par le symbole théosophique de l'étoile jaune avec un triangle blanc ; le troisième stade, avec les cercles blancs renfermant le triangle, évoque la montée vers le spirituel. Les yeux de la figure du milieu regardent au-dessus du spectateur avec lequel ils ne semblent pas avoir de contact. La concentration est intériorisée, repliée sur l'expérience propre. C'est ce à quoi nous pouvons aspirer le plus haut dans notre vie, selon Mondriaan. *Évolution* est peint en 1910, mais c'est une œuvre de longue haleine. En effet, dans des esquisses antérieures, le peintre étudie la valeur expressive des yeux, comme nous le constatons dans plusieurs autoportraits de 1908.

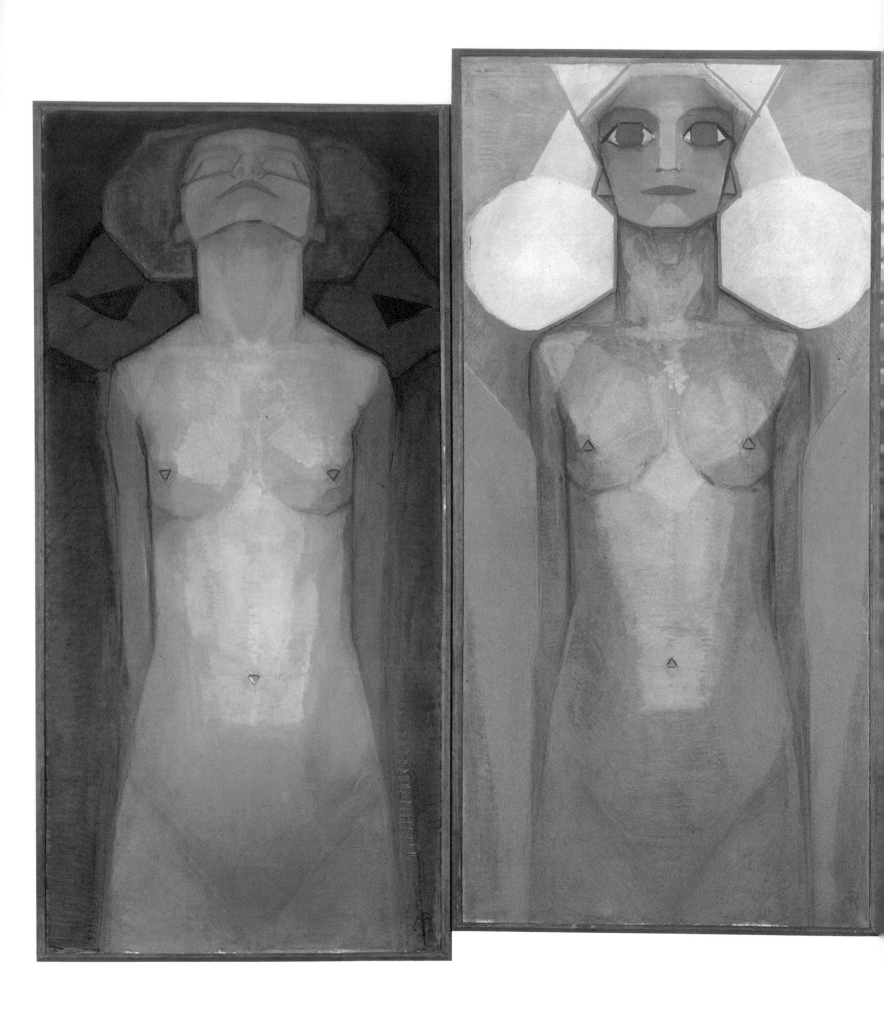

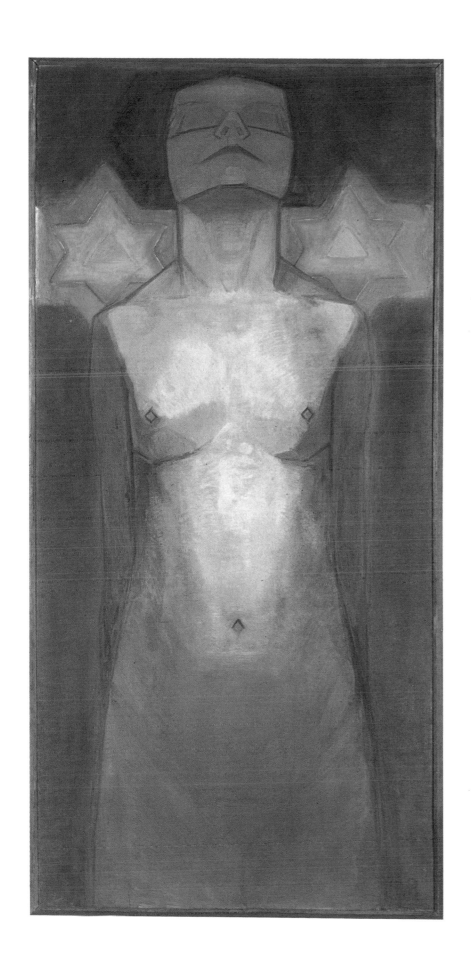

Piet Mondriaan
Évolution, 1910/1911
Toile, 178 x 85 cm, 183 x 87,5 cm,
178 x 85 cm
La Haye,
Haags Gemeentemuseum

128

Jan Sluyters
Nuit au clair de lune II, Laren, 1911
Toile, 50,5 x 71,5 cm
La Haye,
Haags Gemeentemuseum

p.128
Piet Mondriaan
Le Moulin rouge
(Moulin à Domburg), 1910
Toile, 150 x 86 cm
La Haye,
Haags Gemeentemuseum

Le triptyque est apparenté par sa forme et son style au *Moulin rouge*, qui date également de 1910. Le moulin rappelle la figure humaine, tête levée, de manière à ce que l'homme et le moulin soient interchangeables. L'un des critiques signale la portée de ce phénomène : « L'exposition a pour les Pays-Bas une importance exceptionnelle, voire retentissante. En soi, cela suffit pour que le Cercle d'Art moderne, qui se présente pour la première fois, considère qu'il a réussi. Les tableaux exposés par les étrangers et les Néerlandais sont de nature à choquer et à ébranler jusque dans leurs fondements les opinions établies sur la nature et les exigences de la peinture. Cette agitation dans la vie artistique des Pays-Bas doit d'emblée être considérée comme bénéfique, car elle incite les gens à réfléchir et les oblige à reformuler leurs idées avec précision et clarté. » Pendant l'exposition à Amsterdam et après celle-ci, la répulsion envers Mondriaan et d'autres peintres modernes finit par faire place à l'appréciation. Tout ceci provoque d'ailleurs le mécontentement du père calviniste de Mondriaan, qui n'a aucune affinité avec les idées théosophiques de son fils, et de son oncle Frits, que l'exposition incite à signer désormais ses tableaux « Frits Mondriaan » au lieu de « F. Mondriaan », pour écarter tout équivoque. Frits Mondriaan craint en outre que les Modernes désorientent les acheteurs d'art par leur barbouillage. Mondriaan, las des critiques, déménage à Paris un mois après.

En 1912, une seconde exposition du Cercle d'Art moderne a lieu à Amsterdam, et le nombre d'envois est plus important encore que l'année précédente : deux cent quarante-huit tableaux, parmi lesquels beaucoup d'artistes français. Le Cercle subsistera quelques années encore, mais ce sont ces deux expositions qui ont été ses véritables faits d'armes, car elles ont tissé des liens entre les peintres modernes français et néerlandais.

Piet Mondrian
Paysage avec arbres, 1911/1912
Toile, 120 x 100 cm
La Haye,
Haags Gemeentemuseum

Piet Mondrian
Nu, 1911
Toile, 140 x 98 cm
La Haye,
Haags Gemeentemuseum

Piet Mondrian
Nature morte au pot à gingembre I,
1911/1912
Toile, 65,5 x 75 cm
La Haye,
Haags Gemeentemuseum

Photo de la rue du Départ
à Paris, 1913

132

Piet Mondrian
Nature morte au pot à gingembre II,
1911/1912
Toile, 91,5 x 120 cm
La Haye,
Haags Gemeentemuseum

Piet Mondrian
Portrait du peintre par lui-même,
1912/1913
Fusain, 49,5 x 73,5 cm
La Haye,
Haags Gemeentemuseum

Piet Mondrian
Pommier en fleur, 1912
Toile, 78 x 106 cm
La Haye,
Haags Gemeentemuseum

Les peintures deviennent des compositions

Arrivé à Paris, Mondriaan change l'orthographe de son nom en « Mondrian », plus facile à prononcer pour les Français, et plonge dans le tumulte de la métropole. Il n'est pas le seul artiste néerlandais à y résider. Voulant s'évader de leur patrie aux idées étouffantes, Kees van Dongen, Conrad Kickert, Otto van Rees, Lodewijk Schelfhout et Jan Toorop l'ont précédé. C'est à Paris que l'on peut suivre de près l'évolution du cubisme. Pour gagner sa vie, Mondrian copie des tableaux de musée à l'intention de collections privées, tout comme à ses débuts aux Pays-Bas. Les recettes sont médiocres, comme en témoignent ses lettres à ses amis néerlandais, dans lesquelles il les prie d'exposer ses tableaux. Mais bien que ses œuvres soient présentes au Cercle d'Art moderne à Amsterdam, au salon des Indépendants à Paris et au salon d'Automne à Berlin, il ne vend rien. Malgré ses soucis d'argent, il décide de rester en France. Son style change rapidement, et un an plus tard Mondrian compte parmi les représentants les plus marquants du cubisme, même si le choix des sujets et des matériaux diffère considérablement de celui des autres artistes. Tandis que Picasso et Braque s'essayent à des matériaux nouveaux, comme le papier-journal, le métal et la sciure de bois, Mondrian reste fidèle aux thèmes bien à lui qu'il exprime au pinceau sur la toile. Le cubisme semble en effet faire place à tout un chacun, aux cubistes synthétiques, pour qui la peinture seule ne donne pas les résultats voulus, et aux cubistes analytiques qui, tel Mondrian, veulent traduire leurs idées par des moyens traditionnels. Les deux branches ont en commun, selon le peintre néerlandais Jacob Bendien, qu'elles s'opposent à la fois « à l'académisme affecté, fignolé et impeccable, et à l'impressionnisme superficiel et sensuel. Le cubisme défend une certaine virilité, rigidité et austérité et se détache de toute complaisance artistique. » Le critique d'art Guillaume Apollinaire déclare en 1913 à l'occasion de la participation de Mondrian au salon des Indépendants : « Bien que Mondrian soit un représentant de l'école cubiste, il ne l'imite pas. Sa personnalité reste intacte. Son cubisme s'est engagé dans une autre voie que celle apparemment prise par Braque et Picasso. » A cet égard, Apollinaire parle même de « cubisme abstrait », notion que Mondrian utilisera lui-même à partir de 1913 pour désigner ses toiles.

Piet Mondrian
L'Arbre argenté, 1912
Toile, 78,5 x 107,5 cm
La Haye,
Haags Gemeentemuseum

La démarche stylistique de Mondrian apparaît nettement lorsqu'on compare les tableaux *Composition, Arbres II, Arbre gris* et *Pommier en fleur,* tous trois exécutés en 1912. Les deux premières toiles montrent des formes aisément reconnaissables, alors que *Pommier en fleur* n'a plus aucune ressemblance avec l'objet et que le titre est le seul repère. La simplification porte sur la forme, mais tout autant sur la gamme de couleurs, qui se réduit à la palette cubiste des gris, marrons et ocres. Cette évolution stylistique se reflète aussi dans les deux versions de *Nature morte au pot de gingembre.* Dans la première version, exécutée aux Pays-Bas, le pot est au milieu d'objets reconnaissables. La seconde version, faite à Paris, comporte les mêmes objets, mais ceux-ci ont perdu leur valeur d'objets autonomes et sont subordonnés à la composition picturale. Le tableau parisien est un enchaînement de formes cubistes qui n'ont plus de lien avec l'objet concret. C'est dans la logique de cette nouvelle conception de la valeur des formes que Mondrian appelle désormais ses œuvres parisiennes des *Compositions.* C'est alors aussi qu'il commence à représenter le rectangle, selon lui la forme la plus importante dans l'art. La représentation du rectangle, la ligne verticale coupée par la ligne horizontale, est pour lui le symbole de l'homme et de l'univers dans lequel il vit.

Piet Mondrian
Composition, arbres II, 1912
Toile, 98 x 65 cm
La Haye,
Haags Gemeentemuseum

Depuis lors, ces lignes restent prépondérantes dans l'œuvre de Mondrian qui s'intéresse de moins en moins à rendre fidèlement l'observation. Il écrit : « Pour s'approcher du spirituel dans l'art, il faut se référer le moins possible à la réalité, car celle-ci s'oppose au spirituel. » Il enlève ainsi aux impressions de la nature leur aspect accidentel. *Composition N.3* affirme cette évolution vers l'abstrait. L'objet, les arbres, s'étiolent, et ce qui reste sont des lignes rythmées et des pans de couleur.

Mondrian ne passe pas l'été 1912 à Paris, mais à Domburg, et il y reprend ses anciens thèmes, les tours d'église et la mer. Maintenant il s'exprime dans le style cubiste. L'influence du cubisme marque aussi sa *Composition ovale* de 1913. À l'exemple de Picasso et de Braque, il se sert de l'ovale qui, en l'absence de délimitation rigide susceptible de détourner l'attention, force le spectateur à se concentrer sur le milieu de la toile. Le sujet de la composition est à nouveau un arbre, mais elle dégage essentiellement l'harmonie entre la ligne et la couleur. Il écrit à Bremmer, marchand d'art néerlandais et auparavant peintre et critique : « Le public trouve mes tableaux assez vagues, le

Piet Mondrian
Composition N.14
en gris et brun, 1913
Toile, 94 x 65 cm
Eindhoven,
Stedelijk Van Abbe Museum

p.138
Piet Mondrian
Composition avec plans de couleurs,
1914
Toile, 91,4 x 64,7 cm
Zurich, Kunsthaus

commentaire le plus élogieux étant qu'ils ressemblent à de la musique. Bon, je n'ai rien contre cette opinion, sauf si on la pousse à l'extrême et conclut que mon œuvre se situe hors du domaine de l'art plastique, car je construis sur une surface plane des lignes et des combinaisons de couleurs dans le but de rendre, aussi consciemment que possible, le sens de la beauté. La nature – ou ce que je vois – est ma source d'inspiration, elle provoque chez moi comme chez tout peintre un émoi qui m'incite à produire quelque chose. Néanmoins, je veux me rapprocher le plus possible de la vérité et parvenir, grâce à une abstraction complète, au fond des choses – même si ce fond aussi reste extérieur. Pour moi la vérité – qui est l'une des grandes valeurs univer-selles – peut s'énoncer le plus résolument quand on s'abstient d'exprimer quelque chose de précis. L'architecture des Anciens est pour moi l'art le plus noble. Je crois qu'il est possible de parvenir à une œuvre d'art puissante et véridique par des lignes horizontales et verticales, qui sont construites cons-ciemment mais sans être calculées, qui sont commandées par une haute

Piet Mondrian
Composition N.7, 1913
Toile, 106,5 x 114,3 cm
New York, Solomon R.
Guggenheim Museum

intuition et amènent à l'harmonie et au rythme ; ces formes de base sur lesquelles repose la beauté peuvent se compléter au besoin de lignes d'orientation différente ou même de lignes courbes. Pour celui qui voit plus loin il n'y a donc rien de vague, seul un comtemplateur distrait de la nature voit du vague. Le hasard doit être éloigné tout autant que le calcul. Par ailleurs, il me semble nécessaire d'interrompre sans cesse la ligne horizontale ou verticale, sinon ces orientations non coupées par d'autres exprimeraient quelque chose de précis et donc d'humain. Or, j'estime que dans l'art il ne faut pas vouloir rendre quelque chose d'humain. En refusant de dire ou de raconter quelque chose d'humain, en s'effaçant totalement, on fait apparaître une œuvre d'art qui est un monument à la Beauté, supérieur à l'humain mais le plus humain par sa profondeur et son universalité. Pour ma part, je suis persuadé que c'est l'art de l'avenir. Le futurisme, bien qu'un pas en avant du naturalisme, se préoccupe trop de sensations humaines. Le cubisme – bien qu'il repose par son contenu sur les producteurs de beauté d'autrefois et vive donc moins dans son temps que le futurisme – a franchi le fossé vers l'abstraction et réconcilie ainsi l'époque présente avec l'avenir. Il est moderne non pas pour son contenu, mais pour son effet. Pour ma part je n'appartiens ni au présent ni à l'avenir, j'éprouve l'esprit du temps dans l'un et dans l'autre, comme en moi-même. Autrefois, je recherchais le monumental tout autant qu'à présent, je tentais d'atteindre l'abstraction en échangeant les couleurs naturelles contre des couleurs excessives. Plus tard j'ai compris que ce travail était encore trop superficiel et s'il était peut-être bon dans son genre, il était encore trop peu construit. Je dois ajouter que j'ai subi l'influence de l'œuvre de Picasso que j'admire beaucoup. Je n'ai pas honte de parler de cette influence, car j'estime plus judicieux d'être réceptif au perfectionnement que d'admettre une imperfection constatée et de m'imaginer ainsi être plus authentique, comme le font tant de peintres. Je suis sûr d'être très différent de Picasso, comme on le dit d'ailleurs en général. » Dans la même lettre Mondrian s'excuse auprès de Bremmer de lui demander de montrer ses œuvres à un acheteur potentiel, car « la question de survie est urgente ! » Parmi les autres thèmes de la période parisienne de Mondrian figurent les façades de maison, de préférence les murs fissurés présentant des traces de démolition. Cet engagement est dû à ses idées selon lesquelles l'extinction de la vie est indispensable à l'évolution. Ce départ est pour lui la preuve de la résurrection et, en termes plus abstraits, de l'évolution de la vie humaine vers le « supérieur ». Mondrian traduisait auparavant ces idées dans ses tableaux

Piet Mondrian
Composition en bleu,
gris et rose, 1913
Toile, 88 x 115 cm
Otterlo,
Rijksmuseum Kröller-Müller

Piet Mondrian
Composition N.6, 1914
Toile, 88 x 61 cm
La Haye,
Haags Gemeentemuseum

de fleurs, il les exprime maintenant sur ses tableaux de façades. Par exemple la *Composition ovale,* de 1914, où l'on distingue les lettres KUB. Picasso et Braque se servent aussi souvent de signes typographiques pour montrer qu'ils n'ont pas entièrement perdu le sens de la réalité. Dans le cas de Mondrian, les lettres figurent sur une publicité pour les blocs de bouillon. Quelques morceaux de l'affiche sont encore collés sur l'une des façades que Mondrian peut voir depuis son atelier. Ce qui frappe le plus, ce sont les lignes horizontales et verticales. Si nous comparons ce tableau à ses œuvres antérieures, nous constatons une plus grande rigidité dans le maniement du pinceau.

Piet Mondrian, *Composition ovale*, 1914, toile, 113 x 84,5 cm, La Haye, Haags Gemeentemuseum

Piet Mondrian
Composition ovale (Arbres), 1913
Toile, 94 x 78 cm
Amsterdam, Stedelijk Museum

Piet Mondrian, *Composition ovale (Tableau III),* 1914, toile, 140 x 101 cm, Amsterdam, Stedelijk Museum

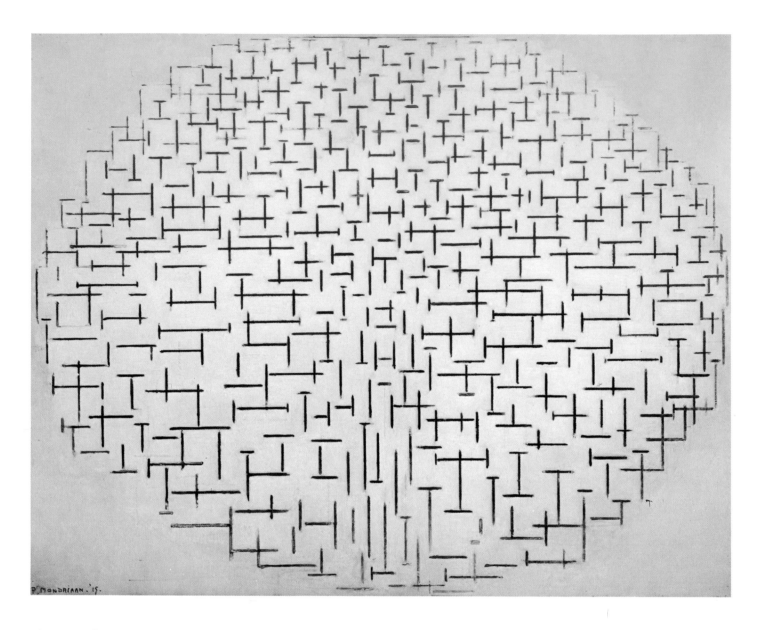

Piet Mondrian
Jetée et océan, 1915
Toile, 85 x 108 cm
Otterlo,
Rijksmuseum Kröller-Müller

Séjour à Laren

En 1914 Mondrian se rend aux Pays-Bas pour voir son père malade, mais le début de la guerre l'empêche de retourner à Paris. Il est possible d'éviter les barrages des Allemands, mais il renonce à ce projet sous la pression de ses amis. Pendant son séjour forcé aux Pays-Bas la mer devient son grand thème pictural. Dans sa toile *Nuit étoilée au-dessus de la mer* il a voulu exprimer l'étendue, le calme, l'unité de la mer, des étoiles et du ciel. Il représente les étoiles par de petites croix. Les lignes obliques des compositions antérieures se perdent dans le vague, elles sont abandonnées pour des traits sobres et rectilignes. Il s'agit pour lui de rendre le rythme auquel les vagues se brisent contre la jetée bâtie dans la mer.

La colonie d'artistes de Laren devient dès lors son lieu de séjour permanent jusqu'en 1919, interrompu par de brèves visites à Domburg et à Amsterdam. Les personnes avec lesquelles il se lie d'amitié auront une grande influence sur son travail. Il rencontre Theo van Doesburg (1883-1931), artiste et publiciste qui a l'idée de fonder une association de peintres et une revue artistique ; Bart van der Leck (1876-1958), peintre et verrier qui partage ses idées sur l'utilisation des couleurs ; Matthieu Schoenmaekers, philosophe et théologien, prêtre défroqué, auteur du livre *La foi de l'homme nouveau* et en train d'écrire le livre *La nouvelle conception du monde*. Mais c'est surtout son livre

Piet Mondrian
La Mer
(Ciel étoilé au-dessus de la mer), 1914
Fusain, 51 x 63 cm
La Haye,
Haags Gemeentemuseum

Piet Mondrian
Composition avec lignes, 1917
Toile, 108 x 108 cm
Otterlo,
Rijksmuseum Kröller-Müller

Piet Mondrian
Composition, 1916
Toile, 119 x 75,1 cm
New York, Solomon R.
Guggenheim Museum

La philosophie de la nouvelle imagination qui marque de son empreinte l'évolution de Mondrian. La conception de Schoenmaekers, selon laquelle le monde tel que nous le percevons repose sur l'opposition entre l'horizontal et le vertical, touche une corde sensible chez Mondrian.

A la suite de querelles internes, Mondrian quitte le Cercle d'Art moderne et expose en 1915 avec quelques-uns de ses anciens membres au Stedelijk Museum d'Amsterdam. C'est à l'occasion de cette exposition que Theo van Doesburg écrit que Mondrian est le plus spirituel des exposants. Van Doesburg constate que les lignes sur les tableaux de Mondrian sont déjà en elles-

Bart van der Leck
Composition géométrique N.II,
1917
Toile, 94 x 100 cm
Otterlo,
Rijksmuseum Kröller-Müller

Piet Mondrian
Portrait de Matthieu
Schoenmaekers, 1915

mêmes presque des œuvres d'art, car elles ont une signification propre. Il prie Mondrian de participer à l'association qu'il a l'intention de fonder. L'association se fixe pour but de mettre fin au caractère individuel que les arts présentent jusque là et de donner toute latitude à la « conscience collective de l'époque », qui doit couvrir autant d'aspects que possible de la société : les arts plastiques et l'architecture d'intérieur, tout aussi bien que la typographie.

Mondrian décline la proposition de Van Doesburg parce que d'après lui pratiquement aucun des peintres néerlandais n'est d'accord avec sa manière de travailler. Il déclare en outre qu'il préfère se consacrer uniquement à la peinture proprement dite. Reste que les tableaux se vendent mal et que pendant un an il vit à nouveau aux dépens de ses amis.

En 1916, le critique d'art Steenhoff réussit, par l'intermédiaire de Bremmer, à obtenir pour Mondrian une allocation modeste de la famille Kröller-Müller, qui a une grande collection d'art. Steenhoff écrit à Bremmer : « Je sais que vous appréciez assez les œuvres de Mondrian. Et l'homme est tel que son œuvre. En tant qu'artiste il est probablement le plus authentique parmi les jeunes. Dans la poursuite de ses principes, peut-être a-t-il tendance à être maniaque.

En tout cas, il fait preuve d'une ténacité fanatique quant à tout ce qui lui semble vrai et pur – mais son existence matérielle en subit les conséquences, d'autant plus que sa nature délicate et modeste le rend extrêmement maladroit quand il s'agit d'obtenir pour lui-même un avantage. C'est un honnête homme, au meilleur sens du terme, et il préfère avoir faim plutôt que de s'endetter, comme le font autant d'artistes – parce qu'ils sont des artistes ! Je

Piet Mondrian
Portrait du peintre par lui-même, 1918
Toile, 88 x 71 cm
La Haye,
Haags Gemeentemuseum

crois qu'en ce moment il est à nouveau dans la gêne. Il se contente de peu pour vivre, et je suis persuadé que la somme de cinquante florins par mois, par exemple, le rendrait le plus heureux des hommes. » Bremmer consent, et Mondrian reçoit dès lors six cents florins par an, en échange de quatre tableaux destinés à la collection de Madame Kröller-Müller. (Cette collection est aujourd'hui la base de la collection du musée national Kröller-Müller à Otterlo.)

Piet Mondrian
Composition avec plans de couleur N.3,
1917
Toile, 48 x 61 cm
La Haye,
Haags Gemeentemuseum

Au-delà du cubisme

En 1914, la floraison du cubisme, cette nouvelle manière de concevoir la réalité, est en grande partie terminée. Si en 1907 un critique pouvait encore caractériser le mouvement comme l'aventure artistique la plus bouleversante de ce siècle, le cubisme s'enlise déjà dans la routine lorsque la guerre éclate. Le cubisme impose des contraintes, en particulier à ceux qui veulent se défaire entièrement du réel, car même si la réalité est transfigurée, les tableaux continuent à l'exprimer. Quel que soit le degré d'abstraction, ce n'est pas l'abstraction complète.

Le peintre russe Kazimir Malevitch (1878-1935) peint en 1913 des carrés noirs sur un fond blanc. Ces toiles sont décrites par un critique comme les tableaux les plus purs et les plus abstraits qui soient. Malevitch, qui s'oppose violemment à l'ancienne peinture réaliste, veut en effet parvenir à l'abstraction totale, en vue de libérer l'homme de sa dépendance vis-à-vis de la matière. « Quels que soient les paysages au clair de lune que l'artiste puisse peindre, quelles que soient les vaches qui broutent et quels que soient les couchers de soleil qu'il puisse exécuter, ce seront toujours les mêmes vaches et les mêmes couchers de soleil, et ils paraîtront toujours un peu plus mauvais que dans la réalité. » Il décrit lui-même son *Carré noir* comme l'icône nue de l'époque. Après sa mort, on placera sur sa tombe un cube noir qui est, selon le testament du peintre, le symbole de l'éternité, de la gloire céleste, de l'immortalité, de la mort, de l'enfer et du purgatoire. Mondrian, lui aussi, commence à se heurter aux limites du cubisme qui reste trop axé sur le sens de la beauté. Il commence par accentuer les lignes, qui deviennent plus solides et plus épaisses que celles des cubistes français et qui mettent davantage en valeur la division des surfaces.

Même si le cubisme n'était plus à son apogée en 1914, son influence a marqué plus qu'aucun autre mouvement notre manière de concevoir l'art. Wilhelm Uhde, qui a « découvert » ce peintre naïf français qu'est le douanier Henri Rousseau (1844-1910), écrit en 1907, après une visite à l'atelier de Picasso où il voit la scène de bordel *Les Demoiselles d'Avignon* : « Je sentis qu'il allait se passer quelque chose de nouveau, qu'une nouvelle vision du monde s'annonçait, que les belles apparences étaient finies et que la sensibilité et les choses conclueraient une nouvelle alliance. Une expérience plus intense de la réalité a fait irruption dans cette plasticité dépourvue de tout hasard. » En 1912, la notion de plasticité est lancée aussi à une conférence où l'architecte néerlandais H.P. Berlage (1856-1934) parle de l'architecture américaine. Berlage décrit la maison de son collègue Frank Lloyd Wright (1869-1959) à Buffalo dans l'État de New York. Il constate que l'Américain ne sépare pas les espaces qu'il habite par des portes, ce qui a pour résultat un intérieur qui offre de « très belles perspectives ». Dans les pièces se trouvent souvent des objets d'art et des livres qui donnent à Berlage une impression d'« intimité extraordinaire ». Il dit que le meilleur terme pour définir « l'originalité des pièces est la plasticité », notion qui se retrouve encore dans le livre *La nouvelle conception du monde,* de Matthieu Schoenmaekers.

Les projets se concrétisent

Le projet de Theo van Doesburg de créer une association d'artistes s'accélère lorsque l'architecte néerlandais J.J.P. Oud (1890-1963) lui annonce dans une lettre qu'il s'intéresse profondément à ses idées. Oud propose d'incorporer dans le groupe des architectes car, dit-il, l'évolution de la peinture moderne

Kazimir Malevitch
Carré noir suprématique, 1914-15
Toile, 79,5 x 79,5 cm
Moscou, galerie Tretiakov

la fait incontestablement se diriger vers l'architecture, comme ce fut le cas à l'âge d'or du gothique. Oud, profondément inspiré par le cubisme, est persuadé que les peintres et les architectes modernes poursuivent à nouveau le même but, soit la reproduction de l'émotion par des moyens purs, sans rien qui détourne l'attention. Bart van der Leck, lui aussi, professe des idées très élaborées sur le rapprochement de la peinture et de l'architecture. Il est associé en tant que verrier aux travaux exécutés par l'architecte Berlage, mais il estime que la place réservée à ses projets de verre est trop modeste. Selon Van der Leck, les objets d'art plastique sont mieux mis en valeur si on les exécute spécialement pour l'espace auquel il sont destinés. Cette idée séduit Mondrian qui voit dans Van der Leck « quelqu'un qui poursuit le même but ». Par ailleurs, Van der Leck se limite aussi aux couleurs primaires du rouge, jaune et bleu, et il réalise des compositions formées de rectangles, de

153

Bart van der Leck
Mine, Triptyque, 1916
Toile, 110 x 220 cm
La Haye,
Haags Gemeentemuseum

barres et de carrés. Un bel exemple en est son triptyque *Mine*, datant de 1916. Il pense au sujet de la peinture moderne qu'elle veut ordonner, détacher et élargir. L'architecture, en revanche, entend enfermer, joindre et limiter. C'est seulement de la réunion de ces qualités que peuvent naître des combinaisons réussies.

Lorsque Mondrian fait la connaissance de Van der Leck, il ne se préoccupe pas encore des rapports entre les arts plastiques et l'architecture. Il fait des tableaux et non du travail décoratif, comme le verrier Van der Leck. Même si dès ses débuts Mondrian a un penchant pour la représentation de motifs architecturaux, tels que les églises, les phares et les façades, il n'est pas question pour lui de confondre les deux disciplines. Mais désormais, l'influence de l'architecture se fait sentir. Il peint les surfaces en aplats et délimite rigoureusement les couleurs et les lignes. De son côté, Van der Leck, sous l'influence de Mondrian, commence à peindre de manière plus abstraite, et il appelle ses œuvres des compositions, à l'exemple de Mondrian. Ce sont ces contacts intensifs entre les deux artistes qui, en 1916, incitent Mondrian à revenir sur son refus d'adhérer à l'association d'artistes réunis autour de Van Doesburg, et l'année suivante il est l'un des fondateurs du groupe De Stijl. Il peint encore dans le style cubiste *Composition, 1916,* mais cette toile deviendra un jalon dans son évolution, car malgré la multitude de rectangles et une certaine tendance centripète, comme le préconisent les cubistes, les couleurs ne se mélangent plus guère. Il en va de même dans *Composition avec lignes,* de 1917, et la version définitive de *Nuit étoilée au-dessus de la mer.* On note une fois de plus une ligne verticale au milieu, dans le bas. Le reste du tableau est plus « strict » et la couleur se restreint, plus encore que dans *Nuit étoilée,* à différents tons de gris et de blanc. La *Composition en couleur A* de 1917 présente elle aussi une structure cubiste, les lignes forment encore un ovale, mais les petits plans de couleur révèlent une innovation et témoignent de l'influence de l'œuvre de Van der Leck qui, bien plus tôt, recourt aux surfaces de couleur.

Piet Mondrian
Composition aux plans de couleur
pure sur fond blanc A, 1917
Toile, 50 x 45 cm
Otterlo,
Rijksmuseum Kröller-Müller

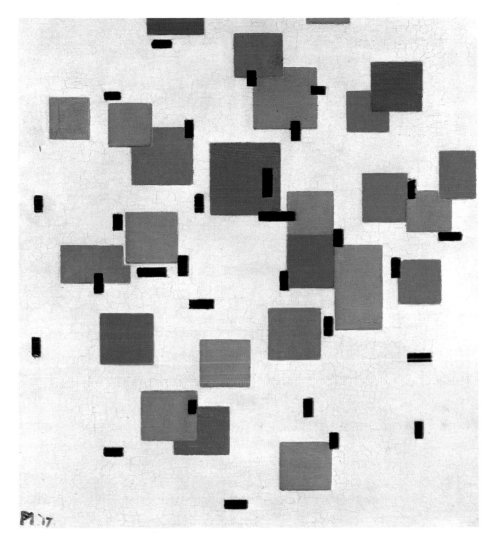

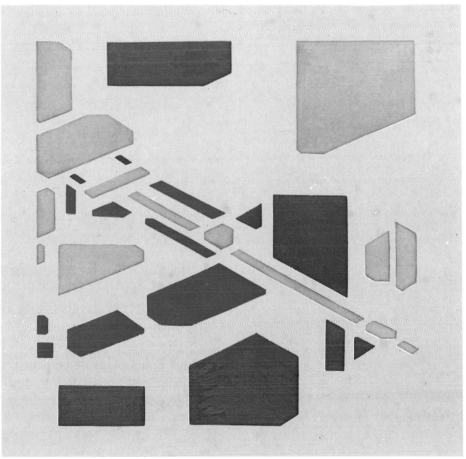

Bart van der Leck
Composition, vers 1917
Toile, collection privée

155

La fondation du groupe De Stijl

Le premier numéro de la revue *De Stijl* paraît en 1917. Les collaborateurs sont : Piet Mondrian, Bart van der Leck, le peintre hongrois Vilmos Huszàr – qui avait dessiné la couverture –, Jan Wils et Robert van 't Hoff, architectes dont les travaux ressemblent un peu aux projets de leur collègue américain Frank Lloyd Wright. Van Doesburg, le seul membre de la rédaction, écrit dans l'avant-propos : « Cette revue souhaite contribuer à l'évolution d'une nouvelle perception de la beauté. Elle veut sensibiliser l'homme moderne à l'innovation dans les arts plastiques. Elle veut opposer à la confusion archaïque et au "baroque moderne" les principes logiques d'un style qui mûrit, fondé sur des rapports purs entre l'esprit du temps et ses moyens d'expression. » Van Doesburg poursuit : « Dès que les artistes des différentes disciplines se rendront à l'évidence qu'en principe ils sont égaux l'un à l'autre, qu'ils parlent une même langue, ils ne se raccrocheront plus craintivement à leur individualité. » Le premier numéro contient un article de Van der Leck et un autre, de Mondrian, car pour Van Doesburg leurs idées forment la base même de la revue. Van der Leck parle « de la place de la peinture moderne dans l'architecture », et Mondrian, sans doute inspiré par Schoenmaekers, lance sa série d'articles sur « la nouvelle plasticité de la peinture ». Il faudrait poursuivre ces idées dans l'architecture, le dessin intérieur et la typographie. Mondrian pose que « l'art est un substitut tant que la beauté de la vie reste encore absente. A mesure que la vie devient plus harmonieuse, l'art disparaît

Theo van Doesburg
Rythme d'une danse russe, 1918
Toile, 136 x 62 cm
New York,
Museum of Modern Art

Vilmos Huszár
Composition II, Patineurs, 1917
Toile, 74 x 81 cm
La Haye,
Haags Gemeentemuseum

Theo van Doesburg
Composition IX, Joueurs de cartes,
1917
Toile, 115,9 x 106,1 cm
La Haye,
Haags Gemeentemuseum

peu à peu ». Il est conscient qu'une fois cet objectif atteint, son rôle sera terminé. En même temps, il estime qu'un tel changement ne peut se produire d'un jour à l'autre. Il parle même de plusieurs millénaires.

De Stijl n'est pas le seul à élaborer une théorie sur une nouvelle conscience du temps. A Zurich, le groupe Dada avait été fondé l'année précédente. Le nom de Dada est une onomatopée et rappelle les premiers sons émis par un enfant. Le groupe veut, tout comme De Stijl, réduire l'art à ses formes les plus élémentaires. Ces mouvements viennent en réaction aux bouleversements sociaux qui ébranlent le monde. La Première Guerre mondiale s'est abattue sur l'Europe, la révolution russe est proche, l'Europe veut sortir du chaos et aspire à l'équilibre. De Stijl et Dada pensent pouvoir donner l'exemple par leur art, destiné à rétablir l'harmonie indispensable à la société. Selon les protagonistes de ces idées, la société doit être organisée avec autant de clarté que possible. De Stijl veut traduire cette intention dans ses œuvres en se servant des moyens de l'abstraction, tels que les lignes droites et les angles droits, les couleurs primaires du jaune, rouge et bleu et les non-couleurs primaires du blanc, gris et noir.

A côté de son activité de rédacteur du *Stijl*, Mondrian continue à peindre. Pendant cette période, son œuvre semble ne plus se limiter aux confins de la toile et dépasser son cadre. Cette libération des contraintes picturales est un pas en avant et un seuil que les cubistes n'auraient jamais franchi. Pour eux, les lignes et les couleurs jouaient un rôle au même titre que les dimensions de la toile. *Composition de plans de couleurs aux contours gris*, de 1919, est la première d'une longue série de toiles de plus en plus raffinées. Mondrian écrira

Piet Mondrian
*Composition de couleurs claires
avec lignes grises,* 1919
Toile, en diagonale 84 cm
Otterlo,
Rijksmuseum Kröller-Müller

plus tard, en 1942 : « Dans les premiers tableaux l'espace était encore un arrière-plan. Je commençai par déterminer des formes. Le vertical et l'horizontal devinrent des rectangles. Ils apparurent comme des formes isolées contre un fond, leurs couleurs n'étaient pas encore pures. J'éprouvai un manque d'unité et rapprochai le rectangle : l'espace devint blanc, noir ou gris. La réunion des rectangles n'était rien d'autre que de prolonger le vertical et l'horizontal de la période précédente sur l'ensemble de la composition. »

Après la parution du second numéro du *Stijl*, Van der Leck rompt avec le groupe à la suite de la critique que rencontrent les diagonales dans ses tableaux. Mondrian, tout comme Van Doesburg, estime que seul le rectangle peut mener à des rapports équilibrés, même s'il utilise lui aussi la diagonale sur deux de ses tableaux : *Losange aux lignes grises* et *Composition dans le carré aux lignes grises*. Mais, en traçant quelques lignes d'un pinceau plus épais et en tournant les toiles d'un quart, l'accent porte de nouveau sur les lignes horizontales et verticales. Les deux versions de *Échiquier aux couleurs sombres et claires*, de 1919, montrent comment il étudie l'interaction entre les dimensions de la toile et son contenu. Toutes les subdivisions de la toile ont une même valeur. Apparemment, en les peignant, il s'est laissé conduire par son sens du rythme et de la couleur.

Oud, architecte en chef de la ville de Rotterdam, se joint en 1918 au groupe De Stijl. Viennent ensuite ses collègues Cornelis van Eesteren (1897-1988) et Gerrit Rietveld (1888-1964), qui est aussi ébéniste. Mondrian, lui, n'attend

Piet Mondrian
Composition dans le losange, 1919
Toile, en diagonale 34 cm
Otterlo,
Rijksmuseum Kröller-Müller

Theo van Doesburg
Vignette pour J.J.P. Oud, 1919
Gouache, 15,5 x 15,5 cm
Cologne, Galerie Gmurzynska

plus beaucoup de la collaboration avec les architectes du Stijl. Il leur reproche leur attitude inconséquente et décide de définir lui-même ce que doit être l'architecture. Mondrian est en effet devenu l'un des théoriciens les plus stricts du mouvement. Il commence en 1919 par publier un entretien imaginé entre un peintre et un chanteur qui discutent « de la réalité naturelle et de la réalité abstraite ». Il continue par une conversation à trois pendant une promenade de la campagne à la ville. Cette conversation entre deux peintres et un profane décrit le passage de l'environnement naturel à l'environnement artificiel de l'atelier en ville comme un processus d'évolution. Dans cet article, Mondrian affirme aussi qu'il vaut mieux apporter les couleurs dans un tableau lorsqu'on sait où il sera accroché, « car les couleurs sont tributaires de l'ensemble de l'architecture, et celle-ci doit de son côté s'harmoniser complètement avec l'image. Tant que cette intégration n'est pas réalisée, le tableau est le seul à proclamer la philosophie de la "nouvelle plasticité" ». Selon Mondrian l'obstacle à ces interactions tient au fait que l'architecture n'est pas encore aussi « épurée » que la peinture. L'architecture contient encore trop de restrictions, elle utilise trop de matériaux connus et est trop dépendante de normes en ce qui concerne les dimensions. La construction de masse, qui permet de réduire les coûts, commence à s'imposer, et il pense qu'elle ouvre de nouvelles perspectives. Mais au moment où il réfléchit à ces questions, aucun des architectes du Stijl n'a fait l'expérience de ces nouvelles méthodes. La peinture, poursuit Mondrian, ne connaît pas ces problèmes de dimensions, car elle n'est pas liée à des exigences de matériaux et d'efficacité.

159

Bart van der Leck
Cavalier, 1918
Toile, 94 x 40 cm
Otterlo,
Rijksmuseum Kröller-Müller

Les articles de Mondrian ont beaucoup d'autorité dans le mouvement, car il est le premier dans le groupe du Stijl à avoir noué des liens avec l'étranger, où il est largement apprécié. Sa notoriété y est telle qu'il est appelé « le père de la nouvelle plasticité ». En 1919, année où sont exécutés les tableaux en forme de losange, il participe encore à une exposition du Cercle d'Art moderne, mais en été il repart pour Paris.

De retour à Paris

A Paris Mondrian habite les six premiers mois à son ancienne adresse, rue du Départ. Il a vendu ses tableaux d'avant-guerre à Sal Slijper, courtier et marchand d'art néerlandais. Les toiles peintes pendant la guerre sont encore aux Pays-Bas, mais il les fait venir pour pouvoir les exposer un jour à Paris. En novembre 1919, il déménage rue de Coulmiers où il écrit la dernière partie de sa série d'articles pour *De Stijl.* La nouvelle plasticité qu'il préconise se reflète dans l'intérieur de son atelier. Il peint les meubles en blanc et accroche des panneaux de carton peints aux murs. Très content du résultat, il écrit à Theo van Doesburg qu'il y travaille entièrement à son gré. Il affirme qu'il est possible de traduire le néoplasticisme dans la pratique de la vie quotidienne. Dans sa série de conversations imaginées il parle de l'aménagement d'un atelier : « Je trouve que c'est freiner la nouvelle conception de la beauté si l'artiste fait de l'atelier ou de la maison une sorte de musée d'art ancien – souvent de qualité médiocre – et crée une ambiance où le neuf ne convient pas et l'ancien subsiste. Le profane suit l'exemple de l'artiste. L'artiste de nos jours doit avancer le premier dans l'esprit du temps. Cet atelier exprime en quelque sorte l'idée du néoplasticisme. » Le journaliste d'un quotidien néerlandais venu l'interviewer écrit : « Les murs de la pièce sont divisés par des toiles non peintes ou couvertes d'une couche d'apprêt, et chaque mur est ainsi une sorte de tableau composé de carrés, agrandi plusieurs fois. Apparemment Mondrian a pour objectif de venir au secours de l'architecte et d'animer les surfaces monotones. Je peux m'imaginer d'égayer ainsi un carrelage, une fenêtre, la voile d'un bateau ou l'aile d'un avion – mais n'est-il pas dommage de morceler un mur monumental en l'ornant de carrés ? Non, car l'artiste incorporera autant que possible les ouvertures que forment les fenêtres et les portes. » Une fois dehors, le journaliste constate « qu'il se sent comme un écolier aux prises avec un problème d'algèbre indigeste ». Les lecteurs du journal *De Nieuwe Amsterdammer* peuvent eux aussi prendre connaissance des idées de Mondrian dans un article qu'il a rédigé sur les grands boulevards parisiens. Le résumé de cet écrit assez long reflète bien l'inspiration dadaïste : « Voitures, autobus, charrettes, calèches, hommes, réverbères, arbres... tout est mélangé ; sur un fond de cafés, boutiques, bureaux affiches, étalages : multiplicité de choses. Mouvement et arrêt : variation de la mobilité. Florilège d'images et d'idées. Les images sont des vérités voilées. La multitude des vérités donne le vrai. Le spécifique n'est pas capté dans une seule image. Parisiennes ! Volupté raffinée. Extériorité introvertie. Naturel figé. Les images sont des limitations. Multitude d'images. Limitations qui voilent le vrai. Les étalages changent plus rapidement que les magasins, je vois un retard dans l'architecture. L'immobilisme aussi est relatif. Tout est mouvement sur le boulevard. Mouvoir : créer et détruire. Chacun crée – qui ose se détruire, chaque fois de nouveau ? Sur le boulevard l'un se détruit dans l'autre, visuellement. Le mouvement rapide rompt l'unité massive et toute particularité. Anéantir le particulier est parvenir à l'unité, dit le sage.

Theo van Doesburg, *Composition* (Peinture pure), 1920, toile, 130 x 80,5 cm
Paris, musée national d'Art moderne, Centre Pompidou

Piet Mondrian
*Composition avec rouge, jaune
et bleu*, 1920
Toile, 52,5 x 60 cm
Amsterdam, Stedelijk Museum

Au sens figuré, tout se fige en une image d'une seule couleur et forme. Une image ne représente rien : seule la couleur et la forme représentent quelque chose – Quoi ? Où est le vrai ? – Dans l'image le particulier est aboli ; dans la société aussi ? Extérieur et Intérieur : tous deux sont nécessaires. L'art est l'esthétique mise au repos. Le repos est nécessité, l'art est nécessité. D'où le mot dilettantisme. Le mouvement est nécessité. D'où le boulevard et l'art. L'artiste donne le général au général. Ce qu'on voit exposé ici dans les étalages est demandé plus généralement. Tout est réel ici : l'art souvent pas. Tout ici sur le boulevard est d'intérêt primordial, tout est nécessité. Le luxe aussi est nécessité. Le boulevard est mouvement du cultivé. Il ne faut pas toujours voir tout dans son ensemble – ou dois-je considérer le particulier aussi comme un ensemble ? La nature est achevée plus tôt que l'esprit humain. Paris sport ! La Presse ! L'homme travaille la nature et l'esprit. Sur le boulevard l'un succède à l'autre, mais l'un se fond aussi dans l'autre. Le boulevard sert à concentrer la pensée. Je vois les couleurs et les formes, j'entends les bruits, je sens la chaleur du printemps, je respire l'air du printemps, l'essence, les parfums – je goûte le café. Le boulevard montre l'expédition du physique et la réception de l'esprit. L'esprit sublime le physique, le physique sublime l'esprit, trois cafés !

Le cubiste sur le boulevard, Courbet dans son atelier et Corot dans un paysage... chacun est à sa place. La place change l'homme et l'homme change la nature. D'où le mot artefact. Sur le boulevard il y a beaucoup d'artefacts, mais pas encore d'art. »

Mondrian n'assiste pas à l'enterrement de son père qui meurt en 1921. Albert van den Briel écrit à ce sujet en 1951 à Michel Seuphor (1901), ami et biographe de Mondrian : « Piet éprouvait une forte antipathie à l'égard de son père, et il a lutté pendant presque toute sa vie pour se débarrasser de son influence... Il n'a jamais pu comprendre pourquoi son père n'avait pas voulu l'aider à chercher sa propre voie quand il était jeune. C'était une confrontation dure entre deux hommes qui ne respectaient pas les idées l'un de l'autre, si bien que M. était souvent plus indulgent envers les étrangers qu'envers son père. Quand il parlait de lui, c'était avec un sarcasme distant, loin de cet humour bénin qu'il manifestait si souvent envers les autres. » Mondrian écrira à Van Doesburg que la mort de son père ne lui a rien fait.

Piet Mondrian
Composition, 1921
Toile, 59,5 x 59,5 cm
La Haye,
Haags Gemeentemuseum

164

Aux hommes futurs

Mondrian n'applique pas seulement les normes de la nouvelle plasticité à ses tableaux ou à l'aménagement de son atelier, comme le révèle sa publication *Le néoplasticisme*. Cet essai, publié par le marchand d'art parisien Léonce Rosenberg en 1920, élabore plus en détail les articles rédigés pour *De Stijl*. Il est dédié « Aux hommes futurs ». Sa source d'inspiration est la théosophie. Mondrian est toujours membre de la Société théosophique, et pendant sa période à Laren il discute longuement avec le philosophe Schoenmaekers. Celui-ci, auteur de la *Philosophie de la nouvelle plasticité*, a abandonné la théosophie et s'appelle désormais « christosophe », suivant ainsi une idée formulée par lui-même. Mondrian s'était distancié de Schoenmaekers et était même intervenu auprès de Van Doesburg pour que celui renonce à inviter Schoenmaekers à écrire dans *De Stijl*. Mais il continue à s'occuper de théosophie. Il approuve les idées de Rudolf Steiner (1861-1925), ancien chef de file du mouvement théosophique en Allemagne et fondateur du mouvement anthroposophe, qui avait dit que le théosophe tire ses connaissances supérieures du « monde ordinaire, matériel et perceptible ». En 1921, Mondrian lui envoie un exemplaire du *Néoplasticisme* en le priant de lui donner son avis à ce sujet. Dans la lettre jointe à l'essai, il soutient que la nouvelle plasticité est l'art de l'avenir pour tous les véritables anthroposophes et théosophes et que l'art est appelé à exprimer l'évolution par l'image. Steiner ne réagit pas, et Mondrian est tellement vexé que dans une lettre à Van Doesburg il qualifie Steiner de prétentieux et de partial. Mais si l'opuscule de quatorze pages n'obtient pas l'approbation de Steiner, Mondrian s'inspirera jusque dans les années trente des idées qu'il y avait prônées. Il ne s'affiche pourtant pas comme peintre théosophique. Tout au long de sa vie il s'intéresse aux conceptions théosophiques, mais il n'a pas d'affinité avec la théosophie comme mouvement religieux. Le système même est trop statique pour lui. Selon Albert van den Briel Mondrian est pendant de longues années à la recherche d'un principe religieux plus ample que le calvinisme dans lequel il a été élevé. « L'aspect universel de la théosophie l'intéressait, mais il restait critique et sceptique envers les simagrées superficielles de "chaisières théologiques" ». Il n'a jamais souscrit au système théosophique. Il était avant tout un artiste refusant toute servitude. »

Les œuvres de cette période se caractérisent par de larges lignes noires qui délimitent un bien plus petit nombre de plans qu'auparavant lorsqu'il exécutait les surfaces à l'intérieur d'un treillis de lignes. Les aplats s'élargissent considérablement, dans des gris sombres et des couleurs primaires vives. La *Composition avec jaune, rouge et bleu*, de 1921, frappe par la prépondérance du plan rouge, annonçant les tableaux ultérieurs qui se caractérisent par la dominance d'un seul carré. Le coloris est réduit, mais les contrastes ne sont pas encore aussi marqués que dans ses œuvres postérieures. Un bon exemple de cette évolution est la *Composition* de 1922, où l'équilibre entre les surfaces et les couleurs repose sur des moyens plus réduits encore. Les lignes sont plus raides et la symétrie, absente. Ces tableaux sont à nouveau très critiqués, les compositions ne seraient pas harmonieuses. Mondrian répond qu'il a seulement échangé l'ancienne conception de l'harmonie contre une nouvelle.

Malgré sa grande productivité des premières années après son retour à Paris – il travaille parfois simultanément à cinq tableaux – sa situation financière est désastreuse. Pour subvenir à ses besoins, il reprend son activité de copiste de tableaux qui sont vendus à des musées. Par ailleurs il exécute, à la

Mondrian dans son atelier, 1922/23

demande du courtier d'art Sal Slijper, des tableaux de fleurs qui sont vendus pour peu d'argent. Très souvent, il ne signe pas ces œuvres parce qu'il estime qu'elles n'ont rien à voir avec son art véritable. L'allocation mensuelle qu'il avait reçue auparavant par l'intermédiaire du marchand d'art Bremmer est supprimée, Bremmer jugeant que Mondrian s'est enfoncé dans une impasse du point de vue artistique. Le marchand d'art ne répond même pas à une lettre assez ferme que lui adresse Mondrian, qui fonde dès lors ses espoirs sur Rosenberg qui reprend quelques tableaux de Mondrian qu'il payera par la suite. Cet argent est d'autant plus bienvenu que Mondrian est obligé de déménager car le propriétaire de son appartement rue de Coulmiers veut y habiter lui-même. Mondrian peut reprendre son ancien atelier rue du Départ, mais une fois installé, il apprend que Rosenberg ne peut pas le payer car lui aussi est submergé de soucis financiers. Une fois de plus, l'artiste dépend de ses amis et il fait du travail sur commande. Dans une lettre à Van Doesburg il précise « être de nouveau dans les fleurs ». Après son expérience avec les architectes du Stijl il a abandonné l'espoir de voir changer rapidement quelque chose dans l'environnement bâti, et il s'occupe lui-même d'arranger son atelier. Pour lui, c'est provisoirement le seul endroit où l'on perçoive quelque chose de la nouvelle plasticité. Il colle une fois de plus des morceaux amovibles de carton peint sur les murs, l'emplacement des meubles et des autres objets de la pièce est rigoureusement mis en équilibre. C'est avec un soin méticuleux qu'il arrange son intérieur, au point de peindre son tourne-disque en rouge parce que cette couleur irait mieux avec l'ensemble. L'un des visiteurs de l'atelier a remarqué : « Quand on déplaçait l'objet de dix centimètres, l'harmonie disparaissait. Tout semblait être collé à sa place. » L'épouse de l'artiste Adriaan Lubbers, avec lequel Mondrian était lié, se rappelle que Mondrian s'offusquait de la forme arrondie du bras de l'électrophone. Une autre anecdote qui témoigne de sa sensibilité à cet égard est racontée par un ami. Il avait frappé à la porte de Mondrian et trouvait qu'il devait attendre longtemps avant de pouvoir entrer. Questionné à ce sujet, Mondrian répondit qu'il fallait encore arranger un peu les choses et que le cendrier, par exemple, n'était pas encore au bon endroit.

En 1922, à l'occasion de son cinquantième anniversaire, les amis néerlandais de Mondrian organisent une exposition à Amsterdam où ses œuvres côtoient celles d'autres artistes. Mondrian est empêché d'assister au vernissage, mais on lui envoie les articles parus dans les journaux, accompagnés d'un chèque du montant que les peintres ont réuni pour lui et permettant de payer le loyer de l'atelier pendant deux ans. Les commentaires sur l'exposition disent que Mondrian s'est enlisé, mais qu'il reste un espoir qu'il apprenne un jour à peindre normalement.

Theo van Doesburg
Contre-composition, 1924
Toile, 100 x 100 cm
Amsterdam, Stedelijk Museum

Theo van Doesburg, 1920

Rupture avec De Stijl

Bart van de Leck est le premier à terminer sa collaboration avec la revue, ensuite ce sont les architectes Wils et Van 't Hoff qui se retirent du mouvement, et Oud part en 1921. Oud, qui est le seul architecte expérimenté du groupe, renonce à son affiliation après un conflit avec Van Doesburg sur la contribution de celui-ci à un complexe d'habitation à Rotterdam. Vilmos Huszár, qui travaille avec Gerrit Rietveld à un hall d'exposition pour la grande exposition d'art à Berlin, quitte De Stijl en 1923. Les divergences d'opinion opposent aussi ceux qui restent. Mondrian qui, lorsqu'il avait fait la connaissance de Oud, était plein d'admiration pour ses plans d'une usine, lui reproche en 1922, à lui et à ses collègues, de continuer à ne pas considérer l'architecture comme un art et de se baser trop sur la réalité quotidienne. En poursuivant les méthodes de construction du moment, ils n'arriveraient jamais à créer une architecture néoplastique. Mondrian explique : « Je ne veux pas dire que l'architecture néoplastique doit être dépourvue de vie, mais elle peut s'orienter vers une "autre vie". » Mondrian pense en outre que la majorité des architectes veulent construire trop vite, sans se vouer à l'expérimentation, comme il a l'habitude de le faire pour ses tableaux. Selon Mondrian, l'architecture consiste toujours en un amalgame de formes au lieu d'un ensemble de surfaces et d'espaces ouverts. L'idéal serait de voir un bâtiment comme un tableau à trois dimensions. Dans la dernière partie de ses conversations imaginées il présage qu' « un jour viendra où nous pourrons nous passer de tous les arts tels que nous les connaissons à présent parce que la beauté aura mûri dans la réalité tangible ». Dans la logique de ces idées, le tableau doit s'intégrer au bâti. L'architecte Oud réagit en disant qu'un tel concept peut s'appliquer à la peinture, mais non à l'architecture.

Piet Mondrian
*Composition avec rouge, jaune
et bleu,* 1922
38 x 35 cm
collection privée

168

Mondrian à son tour ne comprend pas comment Oud peut maintenir qu'il y ait une séparation entre l'architecture et la peinture. Les moyens de passer à une autre manière de construire existent déjà, il y a du béton et des carreaux en couleur, mais l'architecture refuse d'utiliser ces nouveaux matériaux. En 1924, Mondrian décide lui aussi de faire ses adieux au Stijl. Après une exposition que Léonce Rosenberg organise à Paris pour lancer les plans architecturaux du Stijl auprès du public français. Van Doesburg montre des maquettes qu'il a faites avec l'architecte Van Eesteren. Mondrian estime que ces maquettes contiennent trop de diagonales, car il maintient son a priori selon lequel le néoplasticisme ne peut s'imposer qu'en utilisant des lignes horizontales et verticales. Les contre-compositions auxquelles Van Doesburg s'essaie offensent sa vue, et il les considère comme un retour direct au chaos. De plus, Van Doesburg est d'avis que la nouvelle plasticité n'est qu'un phénomène temporaire, ce qui ne manque par de heurter profondément Mondrian qui soutient que le néoplasticisme est le regard ultime sur la vie. Il publie un dernier article sur la nouvelle plasticité en 1924 dans *De Stijl*, mais uniquement parce qu'il n'était plus possible d'en empêcher la parution.

Si les rapports entre Mondrian et De Stijl sont rompus, les concepts à la base de l'œuvre de Mondrian retiennent de plus en plus l'attention à l'étranger. Sa brochure *Le néoplasticisme* est traduite en allemand et publiée en 1925 sous le titre *Die neue Gestaltung* par le Bauhaus, fondé en 1919 par l'architecte Walter Gropius (1883-1969). Le Bauhaus, tout comme De Stijl, veut parvenir à une nouvelle unité entre l'art et la technique. Dans ce mouvement, des artistes, des ingénieurs et des architectes coopèrent à la production de meubles, par exemple. Pour diminuer les prix des produits, ils ont recours à une production mécanique.

Le Bauhaus reprend quelques-uns des articles que Mondrian avait rédigés auparavant pour *De Stijl*. La revue *Der Sturm* publie une critique très élogieuse sur le néoplasticisme de Mondrian. L'auteur en est László Moholy-Nagy, qui avait formulé deux ans auparavant dans l'annuaire du *Sturm* les conditions que l'art non figuratif devait remplir. C'est lui aussi qui avait invité Theo van Doesburg à venir donner une série de conférences au Bauhaus à Weimar sur la conception de l'art défendue par De Stijl. Plus tard, Van Doesburg déménagera à Weimar, dans l'espoir de parvenir à diffuser dans cette ville les idées du Stijl. En 1925, Mondrian expose avec quelques-uns des artistes du Bauhaus à Dresde, où une de ses toiles est vendue. Il en va de même à l'exposition *L'art d'aujourd'hui*, qui se tient à Paris. Par ailleurs, les rédactions de revues dans plusieurs pays lui demandent d'envoyer des photos de son œuvre, et un magazine américain le déclare en 1926 l'un des trois grands peintres des Pays-Bas, après Rembrandt et Van Gogh. L'article a été écrit par Katherine Dreier, collectionneuse d'art américaine qui avait acheté à Mondrian un tableau en losange. Le tableau figure dans une exposition d'art moderne qu'elle organise à New York. C'est la première fois que Mondrian est exposé aux Etats-Unis.

Piet Mondrian
Composition dans le losange,
avec rouge, jaune et bleu, 1925/1926
Toile, en diagonale 143,5 cm
Washington,
National Gallery of Art

« Ici on ne peut pas avoir du chagrin ! »

Un journaliste du quotidien néerlandais *De Telegraaf* se rend en 1926 chez Mondrian et écrit qu'à la différence de l'entrée « sordide » l'atelier est d'une pureté rayonnante. « Je me rappelle, poursuit-il, qu'en faisant mes études de mathématiques, j'étais attristé par le caractère bourgeois de ma chambre d'étudiant. Ici, au contraire, l'ambiance est comme de la neige fraîche et l'air est si glacialement limpide qu'on en arrive tout naturellement à s'interroger sur l'origine et la finalité de l'existence humaine. » Ce journaliste n'est pas le seul à être impressionné par l'atelier. L'artiste néerlandais Piet Zwart (1885-1977) y vient régulièrement. Zwart raconte après une de ces visites qu'il a trouvé l'endroit si impressionnant qu'il lui semblait être accueilli par dieu lui-même. Mondrian raconte alors qu'une femme russe, à son entrée, est restée pendant quelques minutes debout sans rien dire et s'est ensuite excla-

170

mée : « Mais Monsieur, chez vous, on ne peut pas avoir du chagrin ! ». La collectionneuse d'art allemande Ida Bienert, à Dresde, s'intéresse à la manière dont la nouvelle plasticité peut s'appliquer dans une pièce d'habitation et demande à Mondrian de proposer ses vues pour réaménager son salon. Le projet n'a jamais été réalisé, mais les esquisses montrent clairement comment cette pièce est décorée de surfaces colorées pour faire du salon un grand tableau. Le projet pour Ida Bienert a dû lui tourmenter l'esprit, car il écrit à Oud qu'il n'aurait pas pu mener à bien cette commande s'il n'avait pas eu l'expérience de son propre atelier. En plus du projet du salon pour Bienert, il prend aussi en main le décor de la pièce de théâtre *L'éphémère est éternel*, par son ami belge Michel Seuphor. Il ébauche trois écrans qui peuvent être montés tour à tour. Sur la maquette du décor sont fixés quelques petits poteaux blancs qui représentent les acteurs. La présence matérielle des acteurs n'est pas indispensable et, comme il le dit dans une interview au *Telegraaf*, il serait préférable que les acteurs restent invisibles et parlent leur texte sur bande magnétique. Leur présence physique aurait un effet perturbateur. A nouveau, le projet n'a pas de suite, car le groupe qui doit monter la pièce fait faillite dès les premières répétitions.

Piet Mondrian
Ébauche pour le Salon de
Mme Ida Bienert, à Dresde, 1926
Amsterdam, Stedelijk Museum

Theo van Doesburg
La Grande Salle de fêtes, 1926
Gouache, encre et crayon,
52,6 x 29,8 cm
Paris,
musée national d'Art moderne

Dans la musique du compositeur néerlandais Jacob van Domselaer, Mondrian perçoit la représentation du vertical et de l'horizontal. Il s'intéresse tout particulièrement à une fusion entre la musique classique et le jazz, dont il est un grand admirateur. Toute forme musicale doit, à son avis, se composer de trois tonalités et de trois atonalités, comme sur ses tableaux avec les couleurs primaires rouge, jaune et bleu et les trois non-couleurs primaires blanc, gris et noir. Les silences pendant l'exécution doivent être supprimés et les sons doivent être produits de préférence par des instruments électroniques – encore inexistants à l'époque. La musique ne doit pas être répétitive, car la répétition est un rythme naturel, et les sons ne doivent pas s'emmêler pour ne pas faire s'endormir l'auditeur. L'exécution doit avoir lieu dans un « music-hall », où le public peut déambuler à son gré et écouter les compositions successives. Les places assises doivent être arrangées de telle sorte que personne n'est gêné quand des visiteurs sortent de la salle ou y entrent. Les murs seront décorés de tableaux néoplastiques pouvant servir éventuellement d'écrans de projection.

Mondrian a perdu tout espoir de voir des changements rapides affecter la conception architecturale, et il commence à publier des photos de l'intérieur de son atelier. Accompagnées d'articles parus notamment dans la revue néerlandaise *i10,* lancée par l'historien anarchiste Arthur Muller Lehning, elles sont destinées à illustrer le cadre d'habitation qui lui paraît souhaitable. Les architectes Oud et Van Eesteren se sont rendus à l'évidence que les villes modernes sont impropres à assimiler les théories du Stijl. Le café De Unie, à Rotterdam, est bâti en 1925 d'après les plans d'Oud. Mais lorsque l'immeuble, exécuté dans les couleurs primaires, est achevé, Oud écrit à Van Doesburg qu'il avait uniquement pu concevoir le café selon les idées du Stijl parce qu'il s'agissait d'un complexe isolé qui ne devait pas tenir compte d'autres bâtiments dans son voisinage immédiat. Van Eesteren souscrit à cette conclusion quand il présente, en sa qualité d'architecte en chef de la municipalité d'Amsterdam, ses projets d'extension de la ville. Le conseil municipal avait approuvé déjà en 1904 le plan d'extension mis au point par l'architecte Berlage, mais le projet n'avait pas été exécuté. En 1917, la municipalité approuve une nouvelle proposition de Berlage, qui prévoit la construction de grands immeubles de bureaux. Beaucoup d'espace est réservé à de larges rues et à des quartiers d'habitation situés directement au-delà des grandes artères. Ce plan de grande envergure n'a pas été exécuté entièrement et est adapté et complété de 1924 à 1936 par les architectes Scheffer, Van Lohuizen et Van Eesteren, sous le nom de plan général d'extension d'Amsterdam. Van Eesteren explique que ce plan général se fonde sur les éléments urbains existants, qu'il qualifie d'« élémentaires ». Il indique que le plan se veut une réponse aux problèmes pratiques de la ville, qui sont la pénurie de logements et la nécessité de régler la circulation et les transports. Il ne veut pas attendre que le monde soit conçu selon les idées néoplastiques que Mondrian défend toujours, mais que les adhérents du Stijl ont déjà abandonnées.

Point de rupture : le café Aubette

Van Doesburg, qui habite depuis 1923 à Paris, signe en 1926 un contrat de coopération avec les dadaïstes Hans (Jean) Arp et sa femme Sophie Taeuber-Arp pour rénover la boîte de nuit Aubette, à Strasbourg. L'immeuble avait appartenu à l'armée et tirait son nom des exercices militaires faits à l'aube. Van Doesburg dirige le projet et dessine avec le couple d'artistes les dix salles, depuis l'entrée jusqu'aux cendriers sur les tables. C'est pour Van Doesburg l'occasion rêvée de mettre en pratique sa vision du Stijl, passée du plasticisme de Mondrian à l'élémentarisme. Sur ses plans il utilise des lignes horizontales et verticales, mais il se sert aussi de diagonales et de lignes obliques. Pour la salle de cinéma, il imagine de grands écrans rectangulaires qu'il tourne d'un quart, de sorte qu'ils pointent vers le bas. Le café, terminé en 1928, ne trouve pas grâce aux yeux du public et des propriétaires. Theo van Doesburg écrit dans une lettre conciliatrice à Mondrian qu'il a grandement surestimé l'architecture. Tout comme Oud et Van Eesteren il en vient à la conclusion que l'architecture doit avant tout être fonctionnelle. « L'époque n'est pas mûre, dit-il, pour une alliance à grande échelle de la peinture et de l'architecture élémentaire. Pour le moment, les valeurs constantes ne peuvent s'exprimer que dans le tableau. » A Adolf Behne, critique d'architecture allemand, il avoue que « le public ne peut abandonner son monde brunâtre et refuse obstinément le blanc du nouveau monde. Le public veut vivre dans la crotte – qu'il crève dans la crotte. L'architecture est une voie sans issue, tout comme l'art appliqué ».

Sophie Taeuber-Arp
Projet pour le bar d'Aubette,
1927/1928
Gouache, 21,9 x 72,4 cm
Strasbourg,
musée d'Art moderne

Gerrit Thomas Rietveld
Villa Schröder à Utrecht, 1925

L'architecte et ébéniste Gerrit Rietveld est prié en 1924 par l'architecte d'intérieur Truus Schröder-Schräder de construire avec elle une maison à Utrecht. Rietveld est responsable du projet global, Schröder d'une partie de l'étage supérieur. Excepté l'escalier et la salle de bains, la maison est une seule grande pièce pouvant être divisée en chambres par des parois coulissantes. La maison est terminée l'année même et contraste fortement avec les autres maisons de la rue. Rietveld expliquera plus tard : « Nous avons tout fait pour que la maison s'harmonise avec la maison adjacente, et ce que nous pouvions faire le mieux était de provoquer un contraste aussi grand que possible. »

En 1927, à l'occasion du dixième anniversaire du *Stijl*, la revue publie un numéro spécial qui fait l'éloge du groupe. Mais un an plus tard déjà il apparaît que les expériences décevantes de Van Doesburg avec le café Aubette marquent la fin de la période du Stijl, même si par la suite le café, reconstruit entre-temps, devient, avec le plan d'extension d'Amsterdam de Van Eesteren et la maison Schröder de Rietveld, l'un des grands monuments de la période du Stijl. La maison de Rietveld est même classée monument historique. La valeur architecturale de la maison que Van Eesteren et Van Doesburg ont construite sur la Kinderdijk paraît moindre, même si Van Doesburg prédit en 1924 que la maison sera un jour célèbre dans le monde entier. Van Doesburg construit encore en 1929 sa propre maison à Meudon, mais sinon on ne bâtit guère selon les principes du Stijl, et la plupart des projets en restent au stade des maquettes. Pour les arts appliqués, le sort est encore plus sombre, à l'exception du mobilier conçu par Rietveld, bien que ses chaises en bois n'invitent guère à s'asseoir dessus car elles ne s'adaptent pas aux formes du corps. Rietveld, dont les talents sont multiples, peut être considéré comme le représentant le plus caractéristique du mouvement, car en plus de meubles et de projets architecturaux il a mené à bien d'autres projets et notamment mis au point des jouets d'enfants. Sa fameuse chaise rouge et

Gerrit Thomas Rietveld
La Chaise en rouge et bleu, vers 1923
Bois peint, hauteur 86 cm
Amsterdam, Stedelijk Museum

bleue date d'ailleurs d'avant sa période du Stijl. De même, les logements de Robert van 't Hoff à Huis-ter-Heide, assez rigides selon les conceptions néerlandaises, datent de 1916, soit un an avant la fondation du groupe. On pourrait donc dire que le seul point commun entre Rietveld, Van 't Hoff, Oud, Wils et Van Eesteren est d'avoir subi à cette époque l'influence de Mondrian. Il n'y a guère de parenté à constater entre leurs styles architecturaux, et les réalisations les plus marquantes des architectes sont restées des expériences isolées.

« En plus, j'ai passé les feuilles à la chaux »

En 1927, Mondrian reçoit trois cents dollars pour un de ses tableaux vendus à New York. L'argent vient à point, comme il le dit dans une lettre à Oud, ajoutant qu'il avait eu peur de devoir se remettre aux fleurs. Il continue à apporter des changements dans son atelier. Il scie même les pieds de son chevalet pour que celui-ci fasse meilleur effet dans son intérieur. Pourtant, un journaliste du quotidien *De Telegraaf* qui se rend chez Mondrian semble voir un objet qui trouble l'harmonie de la pièce. Quand il demande à Mondrian pourquoi il a mis une fleur dans un vase, celui-ci répond : « J'ai voulu avoir quelque chose pour symboliser la grâce et la douceur féminine. Mais remarquez que la fleur est artificielle et que j'en ai passé les feuilles à la chaux pour bannir de mon intérieur cet impossible vert naturaliste. » Son ami Seuphor se rappelle une anecdote semblable. « A la fin de sa vie, dit-il, Mondrian ne pouvait plus supporter de voir un arbre. Paris et ses nombreux parcs lui semblaient d'un romantisme affreux. Et s'il avait une vue sur des arbres

175

Piet Mondrian
Composition II avec lignes noires, 1930
Toile, 50,5 x 50,5 cm
Eindhoven,
Stedelijk Van Abbe Museum

dans un restaurant, il changeait de place de peur de ne pouvoir avaler une bouchée ! »

Cercle et Carré

En 1930 Mondrian, tout comme Hans Arp et le poète et peintre dadaïste Kurt Schwitters (1887-1948), devient membre du groupe Cercle et Carré, fondé par Michel Seuphor et Joaquín Torrès-García. Ce mouvement veut contrebalancer le courant surréaliste de la peinture qui prend un grand essor à Paris. Michel Seuphor explique : « Nous voulions souligner la structure plutôt que l'abstraction. Tout devait avoir une structure, une charpente intérieure. Nous étions d'avis que par le passé tout art avait été basé sur des fondements géométriques. J'en avais fait la découverte en étudiant Le Greco. Cette ossature allait devenir l'élément le plus important de l'art, et dans le cas de Mondrian cela s'est traduit par des rapports d'une grande pureté. Il fallait écarter toute valeur sentimentale, tout ce qui n'était que mélodie. » En avril de cette même année, les membres du groupe organisent une exposition à Paris à laquelle participent beaucoup d'étrangers ainsi que Mondrian, Otto van Rees, sa femme Adya et Hendrik Werkman. Le groupe, qui fait plutôt figure d'association amicale, n'est pas promis à une longue vie, d'autant que Michel Seuphor, l'animateur du mouvement, tombe gravement malade peu après. En 1932, Mondrian et d'autres membres du Cercle s'associent à Abstraction-Création, fondé l'année précédente par Georges Vantongerloo et Theo van Doesburg. C'est un groupement d'orientation internationale dont les membres sont dispersés aux quatre coins du monde. Cette même année, la veuve de Theo van Doesburg fait paraître le tout dernier numéro du *Stijl.* Elle le dédie à la mémoire de son mari, mort en 1931

Piet Mondrian
Composition avec bleu et rouge, 1932
Toile, 41 x 33 cm
New York, Sidney Janis Gallery

Piet Mondrian
Composition avec lignes jaunes, 1933
Toile, en diagonale 113 cm
La Haye,
Haags Gemeentemuseum

des suites d'une crise cardiaque à Davos en Suisse. L'année suivante c'est la mort de Tonia Stieltjes qui plonge Mondrian dans une crise mentale. Tonia Stieltjes était une Néerlandaise qui était son amie à Paris depuis de longues années. Elle était l'une des rares personnes à pouvoir comprendre les idées de Mondrian, affirme Albert van den Briel. Mondrian la décrit comme « au-delà de tout dramatique, avec un regard très clair ». A la différence de ce qui s'était passé lors de sa dépression en 1903 à Amsterdam, Mondrian se remet rapidement en travaillant sans relâche à ses tableaux comme à son livre *L'art et la vie*. Il exécute en 1933 sur la commande de Cornelis van Eesteren et de Charley Toorop *Composition aux lignes jaunes*. Ce qui frappe le premier, c'est que les lignes sur la toile ne se coupent pas et que les angles du carré qu'elles suggèrent semblent se situer hors du tableau. Les lignes sont d'épaisseurs différentes, ce qui exclut toute symétrie. Mondrian assortit la toile d'indications très précises sur la manière dont il faut l'accrocher : « La ligne la plus épaisse en haut et parallèle au mur, le point le plus bas à hauteur des yeux. »

Fermeture du Bauhaus

Le Bauhaus est forcé de fermer ses portes en 1933 sur l'ordre du régime nazi, après qu'un an auparavant Hitler l'eut contraint à quitter Dessau pour Berlin où ses activités pouvaient être mieux contrôlées. Les membres les plus en vue du mouvement émigrent aux Etats-Unis. A Paris, Mondrian voit la menace que constitue la montée du nazisme. Le seul fait d'être un peintre abstrait suffit à le rendre suspect à Hitler, et ses œuvres figurent sur la liste noire. Il n'en continue pas moins à travailler. Pendant cette période, il fait des tableaux avec des lignes doubles et d'autres où les lignes vont de haut en bas sans se couper, pour atteindre une plus grande clarté. Sidney Janis, collectionneur d'art américain – et inventeur de la chemise boutonnée – achète une toile à Mondrian pour soixante-dix dollars. La livraison n'aura lieu que l'année suivante, car Mondrian veut ajouter encore quelques touches minuscules. Harry Holtzman, peintre américain âgé de vingt-deux ans, voit des travaux de Mondrian à New York et se rend spécialement en 1934 à Paris. Il y reste pendant quatre mois et, avant de retourner, il conseille à Mondrian de le suivre aux Etats-Unis, car « l'Amérique est le seul pays où l'art peut encore s'épanouir librement ». Mondrian estime cependant être trop vieux pour émigrer. Il ne doit pas moins plier bagage en 1936 parce que son atelier rue du Départ sera démoli, et il va s'installer boulevard Raspail. Le projet de Hitler de conquérir la France entière paraît plus réel après l'invasion de la partie française du Rhin. La crise tchécoslovaque de 1938 décide enfin Mondrian à quitter Paris. Grâce à ses contacts avec le groupe Abstraction-Création, il a fait la connaissance de l'artiste britannique Ben Nicholson (1894-1982), rédacteur de la revue *Circle* qui avait publié l'année précédente son article « L'art plastique et l'art plastique pur ». Mondrian part pour Londres avec l'intention de se rendre ensuite aux Etats-Unis, car il craint ne pas être à l'abri des nazis même en Angleterre. Albert van den Briel se souvient d'avoir vu Mondrian pour la dernière fois lorsque lui-même est reparti pour les Pays-Bas après avoir visité Mondrian à Paris : « C'était comme si pour Mondrian un monde sombrait peu à peu. Je l'ai vu la dernière fois sur le quai de la gare du Nord, lorsque le train s'est lentement mis en marche et qu'il a levé la main d'un mouvement triste. Quelqu'un qui sait qu'il a perdu pour de bon. »

Piet Mondrian
Composition avec rouge, jaune et bleu, 1935/1942
Toile, 99,6 x 51,3 cm
collection privée

Ben Nicholson
Painting (Version I), 1938
Toile, 123 x 141 cm
collection privée

D'une chambre grise de location au soleil de la France

Mondrian est chaleureusement accueilli à Londres et décide d'y rester autant que les circonstances le permettront. Ses amis l'aident à trouver un atelier, à Park Hill Road, dans le quartier de Hampstead. Il dispose d'une toute petite pièce qui, selon Ben Nicholson, passe en un tournemain « d'une chambre grise de location à un séjour baigné de soleil dans le Midi de la France, tout ceci avec un peu de peinture blanche, des meubles bon marché et quelques cageots d'oranges ».

Mais Mondrian ne peut oublier Paris, et en août 1939 il y retourne pour quelques semaines, jusqu'au déclenchement de la guerre. A Maud van Loon, qui vient le voir, il dit vouloir partir le plus rapidement possible pour les Etats-Unis. « L'Amérique, dit-elle, a toujours été son rêve, et j'ai toujours cru que cela resterait un rêve. Avec une détermination incroyable il a vidé sa chambre, il a vendu quelques affaires et en a donné beaucoup. Il voulait partir. C'était comme s'il obéissait à une voix intérieure. Soudain, il n'aimait plus Paris. Il s'était déjà de plus en plus distancié de ses amis, il ne semblait plus s'intéresser à son atelier, il se sentait menacé. J'ai reçu son magnétophone et un vieux livret de caisse d'épargne presque vide. « S'il le faut, tu pourras me l'envoyer » dit-il en hésitant. En guise d'adieu, nous sommes allés danser au Bœuf sur le toit la veille de son départ. Il y avait peu de monde. Paris était déjà occulté, alors que d'autres pays échappaient encore à la guerre. Mondrian devait partir le lendemain très tôt. Nous avons pris tard dans la nuit un café chaud dans l'estaminet au coin de la rue. Nous ne voulions pas nous dire adieu. Je viendrais le voir bientôt à Londres, pendant un week-end. Il me reconduisit à la porte : "Jusqu'à bientôt, à Londres", dit-il, hésitant, le chapeau à la main, sur le bord du trottoir. Il faisait froid et j'ai rapidement mis fin à la scène en rentrant chez moi. Nous n'avons pas pu venir à notre rendez-vous. »

Mondrian est peu satisfait de ses œuvres de la période londonienne. « Après que Paris ait été occupé par les nazis, je n'ai plus fait de travail créateur », soupire-t-il en juillet 1940 auprès de Winnifred Nicholson. Du point de vue financier, les choses se présentent cependant plus favorablement. Il vend toujours peu de tableaux, mais il arrive à en vivre, même si les prix de ses toiles sont toujours peu élevés. Les plus petites coûtent vingt-cinq livres et les grandes, quarante-cinq. Un artiste ami, Naum Gabo, souligne qu'il n'était absolument pas intéressé par l'argent : « Un jour il m'offrit un de ses meilleurs tableaux pour dix livres. Je répondis que je ne pouvais accepter puisqu'il y avait travaillé si longtemps. Mondrian ne connaissait pas la valeur de ses tableaux, il passait beaucoup de temps à les peindre. Une fois, quand je m'étonnai de le voir encore travailler un tableau qu'il m'avait déjà montré, il me répondit que le blanc n'était pas encore suffisamment plat, qu'il y avait trop d'espace. Une peinture devait être plate, et la couleur ne devait contenir aucune suggestion de profondeur. Je lui répondis qu'il n'y parviendrait jamais, aussi longtemps qu'il l'essayerait. »

Au début de septembre, Londres est bombardé. Les fenêtres de l'atelier de Mondrian éclatent, et Winifred Nicholson tente de le convaincre de venir la joindre à la campagne en Cornouailles, où elle s'est installée parce qu'elle trouvait que Londres n'était plus sûr. Mondrian se rappelle cependant que les Cornouailles ont également été bombardées et lui dit que là c'est tout aussi dangereux qu'à Londres. En outre, il recevra d'un jour à l'autre son visa pour les Etats-Unis. Ses tableaux l'ont déjà précédé et l'argent pour la traversée lui a été prêté par Harry Holtzman. Il passe les dernières semaines en

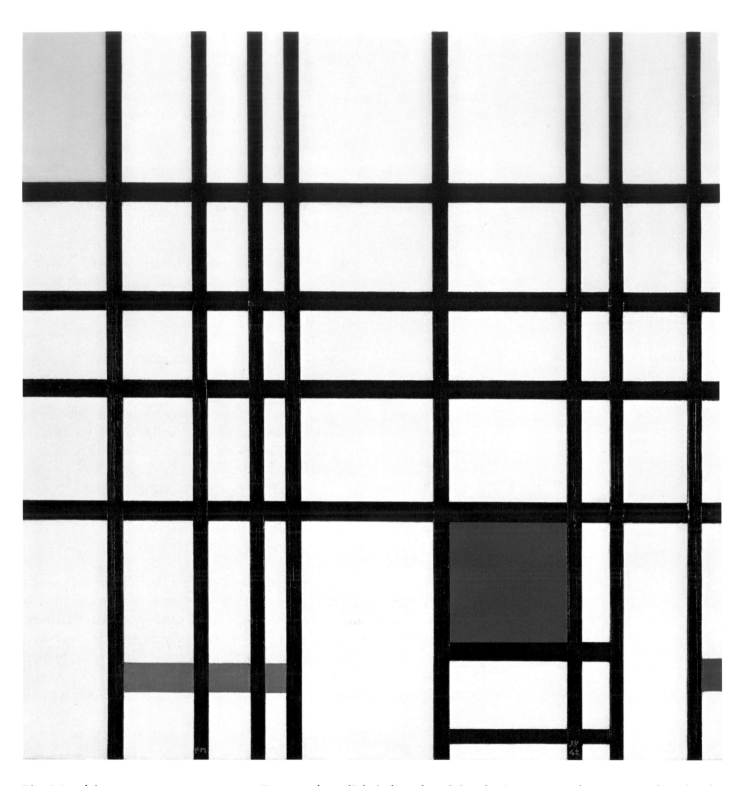

Piet Mondrian
Composition II avec rouge, jaune et bleu, 1939/1942
Toile, 72 x 69 cm
Londres, The Tate Gallery

Europe dans l'abri d'un hôtel londonien pour échapper aux bombardements allemands et s'embarque pour l'Amérique le 23 septembre 1940 à Liverpool.

New York Boogie-Woogie

Grand amateur de jazz, Mondrian est emmené par Harry Holtzman le jour de son arrivé à New York dans un café où l'on joue de la musique boogie-woogie. Il l'adore, tout comme il est ravi des gratte-ciel, des affiches publicitaires exubérantes, du bruit dans la rue. La ville est remplie d'artistes ayant fui l'Europe comme lui. Les peintres français Marc Chagall (1887-1985) et Fernand Léger (1881-1955) y habitent, et leur installation à New York contribue à faire de cette ville un important centre d'artistes. Les œuvres de Mondrian sont exposées régulièrement, et il passe pour l'un des précurseurs de l'art abstrait. Sa renommée de peintre l'a devancé, et ses écrits sur l'art sont sérieusement étudiés. Les Américains le voient peu en personne. Il se rend aux vernissages et aux fêtes, il danse aussi dans les cafés, mais avant tout il travaille. Harry Holtzman vient le voir tous les jours ou presque, mais ne reste jamais plus d'une demi-heure parce que Mondrian préfère être seul pour vouer tout son temps à la peinture. La seconde exposition qui lui soit entièrement consacrée est imminente, et il travaille une vingtaine de tableaux simultanément. Il s'agit surtout de toiles exécutées auparavant à Paris et à Londres, mais il ne les considère pas comme achevées. Il ajoute de petites surfaces de couleur qui, sur quelques-uns des tableaux, ne sont plus délimitées par des lignes noires, ce qui donne une sensation de grande vivacité. En plus, il fait de nouveaux tableaux où pour la première fois les lignes noires cèdent la place à des traits dans les couleurs primaires. Les lignes colorées rendent ces tableaux moins austères que certains peints en Europe. Il ne dessine pas les bandes directement sur la toile mais il utilise d'abord du papier adhésif noir qu'il arrache du tableau si l'effet ne lui plaît pas, pour le coller ensuite à un autre endroit. Une fois que la bande est à l'emplacement voulu, la toile est peinte. Les premières œuvres exécutées de cette manière ne sont plus appelées des compositions. Elles portent des titres tels que *New York* et *New York City I*. *New York* reproduit l'impression que lui a donnée la ville lorsqu'il est arrivé en bateau. *New York City I*, semble être composée sur le rythme et le quadrillage des rues de la métropole, cette ville qui incarne pour lui l'esprit de l'époque. Il dit qu'elle lui apparaît comme « la forme donnée à la vie abstraite ». « Dans la ville, le naturel est figé, ordonné par l'homme. » Mondrian reprend ainsi des idées qu'il avait défendues pendant sa période du Stijl, selon lesquelles l'agencement du cadre de la vie doit être déterminé par des lois harmonieuses. Il croit voir éclore cette harmonie dans certains aspects de la société, par exemple dans la musique, et surtout dans le boogie-woogie, où le thème musical est constamment interrompu, et dans la danse du même nom, où les pas doivent être exécutés en opposition les uns aux autres. Il aménage son atelier à sa façon habituelle. Il peint les murs en blanc, les panneaux colorés de carton font le reste. Il fabrique lui-même quelques meubles d'une grande simplicité. Pas la moindre chaise confortable dans son appartement. « Si vous voulez vous reposer, allez-vous coucher quelques instants », dit-il à ses visiteurs. Parmi ceux-ci figurent Harry Holtzman, qui paie le loyer de son appartement, ainsi que la journaliste et artiste américaine Charmion von Wiegand. Elle l'a interviewé sur son travail, mais l'article a été mis de côté par la rédaction. C'est pour Mondrian

Piet Mondrian
New York City I, 1941/1942
Toile, 119,3 x 114,2 cm
New York, Sidney Janis Gallery

l'occasion de soupirer que son art n'est pas compris. Il ne cède cependant pas aux avances de Charmion. Soucieux de ne pas perdre son indépendance d'artiste, il lui explique que dans les relations humaines il faut séparer strictement le spirituel du corporel. La femme idéale pour lui est la femme publique. Charmion n'insiste pas.

L'exposition organisée pour Mondrian en 1942 dans la galerie Valentin Dudensing à New York est un véritable succès. Dudensing s'érige en agent, et la vente de ses tableaux donne pour la première fois à Mondrian les coudées franches sur le plan financier, même si le prix qu'il demande pour ses toiles reste très bas. Il écrit beaucoup, il rédige notamment l'introduction au catalogue de la collectionneuse d'art Peggy Guggenheim, il fait partie du jury de l'une des expositions qu'elle organise et rédige les articles « Toward the True Vision of Reality » (« Vers une conception véritable de la réalité ») et « A New Realism » (« Un nouveau réalisme »). Il commence aussi le tableau qui portera le titre de *Broadway Boogie-Woogie*. Avec de la bande adhésive jaune – il n'emploie plus de noir – il fixe un treillis de lignes qui s'apparente encore à *New York City I*, mais dans ce canevas sont placées de petites surfaces rouges, jaunes et bleues. En outre, il peint de petits blocs rouges, jaunes et bleus sur ces lignes jaunes, au point que *Broadway Boogie-Woogie* est extrêmement vivant et pétillant de mouvement. Pour éviter toute suggestion de profondeur, Mondrian pose de petits carrés de couleur aux endroits où les lignes jaunes se croisent. De fait, selon ses principes, la toile ne doit être rien de plus qu'une surface plane. Une fois achevée, elle fait apparaître une nouvelle source de vivacité : le rythme de la danse semble y vibrer. Le tableau est vendu six cents dollars en 1943, le montant le plus élevé que Mondrian ait jamais reçu pour un tableau. En 1943 il entreprend *Victory Boogie-Woogie*. La toile est la suite logique de *Broadway Boogie-Woogie*, mais à nouveau elle marque une nouvelle étape dans sa démarche picturale. Les lignes qu'il employait auparavant sont repoussées vers l'arrière-plan, le tableau est plus agité et semble « frémir » davantage que *Broadway Boogie-Woogie*. Il ne sera pas permis à Mondrian de terminer cette œuvre. Il marche difficilement à cause d'une infection au pied et il souffre d'une pneumonie qui l'empêche de sortir de chez lui. Il travaille en pyjama au tableau jusqu'en janvier 1944, lorsque Harry Holtzman et le peintre Fritz Glarner le trouvent étendu par terre à côté de son chevalet. Mondrian est conduit en ambulance à l'hôpital, il y meurt le 1ᵉʳ février, à l'âge de soixante-et-onze ans d'une pneumonie aiguë, en présence de Harry Holtzman, Fritz Glarner et Charmion von Wiegand. L'enterrement deux jours plus tard à New York attire un grand nombre d'artistes de sa période parisienne et new-yorkaise.

Harry Holtzman ne résilie pas encore le contrat de location de l'atelier. Tout d'abord, Fritz Glarner photographie la pièce sous tous les angles, et le studio est ouvert aux intéressés. Ils viennent par légions à l'atelier, une fois de plus parfaitement aménagé selon les principes du néoplasticisme. Les meubles faits par l'artiste lui-même rappellent les projets de Gerrit Rietveld, et les murs sont ornés de morceaux de carton coloré. *Victory Boogie-Woogie* est vendu pour une somme de huit mille dollars. La toile non achevée présente encore quelques plans qui ne sont pas peints, mais elle semble aussi représenter le rythme du boogie-woogie, le rythme de New York même. Les autres tableaux sont légués par testament à Harry Holtzman qui organise une exposition à New York un an après le décès de Mondrian.

Mondrian, qui a vécu dans la pénurie à Paris, où parfois il n'avait même pas l'argent pour acheter un timbre-poste, n'aurait jamais pu s'imaginer qu'en 1989 des dessins au fusain de sa première période se vendraient à plus de cent mille florins et que *Composition C, avec rouge et gris*, une toile d'à peine 50 cm sur 50 cm, changerait un jour de propriétaire pour une somme de près de onze millions de florins.

Mondrian dans son atelier, 1942. Photo par A. Newman

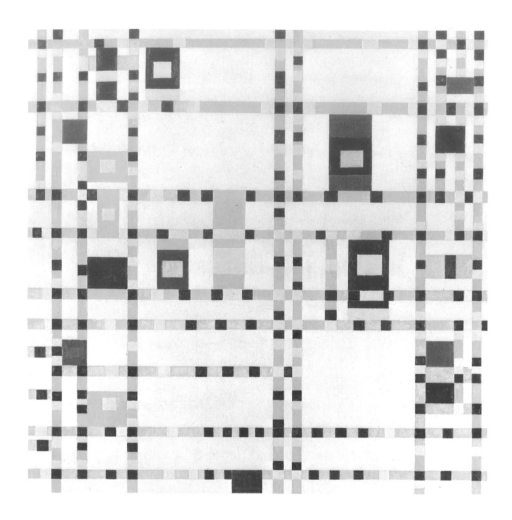

Piet Mondrian
Broadway Boogie-Woogie, 1942/1943
Toile, 127 x 127 cm
New York,
Museum of Modern Art

La société harmonieuse

Dès sa jeunesse, Mondrian a voulu faire mieux que rendre l'ambiance des paysages qu'il peint. Il voulait allier en un seul signe les lignes qu'il dégageait dans le paysage et les concilier dans le rectangle, symbole pour lui de l'harmonie absolue. Jusqu'en 1912 il s'est servi de tous les styles picturaux de l'époque, soit l'expressionnisme, le néo-impressionnisme, le fauvisme, le luminisme et le cubisme. Ses idées théosophiques en combinaison avec sa vision du cubisme l'ont confirmé dans sa conviction qu'il n'y a pas de différence entre l'art et la vie. Mais il voyait que la vie est occultée par la forme arbitraire des objets, et c'est ce caractère fortuit qu'il a voulu maîtriser dans son art. Le rectangle, la pureté de la couleur et le sens de l'équilibre ont été les moyens abstraits dont Mondrian s'est servi pour atteindre le but qu'il s'était fixé : une société en harmonie. L'idéal qu'il poursuivait était de voir s'intégrer l'art à la vie. Il montrait ses tableaux sans cadre pour qu'ils s'incorporent mieux dans le murs où ils sont pendus. A l'exemple de ses tableaux, les maisons devaient elles aussi faire partie d'une ville en équilibre. Ces efforts pour mettre en pratique les idées du néoplasticisme et pour les appliquer à l'architecture lui ont valu en 1935 l'appréciation du Congrès international d'architecture moderne (CIAM) tenu à Amsterdam. Cela malgré le fait que Mondrian avait qualifié les architectes de « serviteurs du public ». Sa collaboration avec des architectes l'amène pourtant à conclure que la réalisation des idées d'une société meilleure restera pour longtemps encore une utopie. L'opuscule *Le néoplasticisme* est en conséquence dédié aux hommes futurs. C'est seulement dans son propre atelier qu'il réussit à créer cet environnement idéal.

La culture n'est rien d'autre que la mesure

« L'art concret, en recourant à la géométrie et à la couleur pure, doit viser à une structure claire et reproductible et se distancier de constructions reposant sur des exemples figuratifs », telle est la devise de l'association d'artistes Abstraction-Création, fondée en 1932 et qui poursuit ses activités jusqu'en 1936. Mondrian en est membre, tout comme Naum Gabo (1890-1977), Alexander Calder (1898-1976) et Wassily Kandinsky (1866-1944). Van Doesburg est l'un des fondateurs et écrit deux ans auparavant : « C'est ma conviction la plus profonde, née de l'ensemble de mes expériences, qu'à l'avenir l'art évoluera uniquement sur la base des sciences. Jusqu'à présent, l'artiste s'est entièrement livré à son sentiment, sans le moindre contrôle. Ses méthodes de travail ne le distinguent pas de la modiste ou du pâtissier qui ne font qu'arranger les choses selon leurs goûts et leurs sentiments. » Dans le dernier numéro du *Stijl* il conseille aux jeunes artistes « de réfléchir plutôt que d'exécuter. C'est là que réside le charme de la simplicité de Matisse et l'abstraction pure de Mondrian. Nous, les peintres abstraits, peignons plutôt dans l'esprit que sur la toile. Quand nous prenons notre pinceau, le travail le plus dur est déjà fait. Le contact avec la matière est dangereux pour

Mondrian dans son atelier,
15 East Street à New York,
1943.
Kunsthaus Zurich,
photo par Fritz Glarner

L'atelier de Mondrian
à New York, 1944
Kunsthaus Zurich,
photo par Fritz Glarner

bien des gens parce qu'ils ne peuvent pas garder la mesure. Or tout est là, dans "garder la mesure". Je l'ai dit encore aujourd'hui à un jeune peintre, dans un autre contexte : la culture n'est en fait autre chose que garder la mesure ». Van Doesburg poursuit : « L'œuvre doit être mesurée. Il en est comme pour l'homme en général : avoir besoin de beaucoup, c'est la domination de la bête qui est en nous, avoir besoin de peu, c'est être spirituel. L'esprit vit par lui-même. L'œuvre doit être dépouillée ou, au moins, donner cette impression. La matière ne doit pas s'imposer. Bien des gens pensent que la vigueur s'exprime dans une facture grosse et lourde, mais c'est une erreur. La force de la tension intérieure repose sur l'abstraction, qui est le résultat à la fois d'une absence de forme en expansion et de la limitation des matériaux. »

Piet Mondrian
Victory Boogie-Woogie, 1943/1944
Toile, en diagonale 177,5 cm
collection privée

Pas d'imitateurs, mais des suiveurs

« Mondrian n'a pas d'imitateurs, mais de suiveurs », écrit Michel Seuphor en 1937 dans la revue flamande *Opbouwen*, et il poursuit : « L'art de Mondrian est une peinture céleste. On le hait et on le désapprouve pour cela, on l'envie encore davantage pour ce saut de géant qu'il a osé faire. » En atteignant l'Amérique, ce « saut de géant » parti de l'Europe est une source de chagrin pour bien des Américains. Car si Mondrian est considéré comme le maître incontesté de la géométrie, on le prend aux Etats-Unis aussi pour la personnification du mouvement du Stijl. Or, le langage très formel et soigné du Stijl peut être interprété comme le désir de revenir à la peinture traditionnelle. *Broadway Boogie-Woogie* et *Victory Boogie-Woogie*, en particulier, se réfèrent trop à la vie de la métropole, ce qui est impardonnable aux yeux de nombreux artistes américains travaillant dans la tradition de l'abstraction. Selon eux, ces tableaux n'avaient plus rien de spontané. Les œuvres des Américains Morris Louis (1912-1962), Kenneth Noland (1925), Ellsworth Kelly (1923) et Barnett Newman (1905-1970) ne se composent plus d'éléments disparates à la manière du Stijl, mais de formes simples. Ces représentants de la « hard edge colour painting » ont mis au point après 1945 une variante américaine autonome de l'art géométrique abstrait, qui tout en ayant ses racines dans la peinture européenne prône l'intuition plutôt que

Kenneth Noland
Provence, 1960
Toile, 91 x 91 cm
collection privée

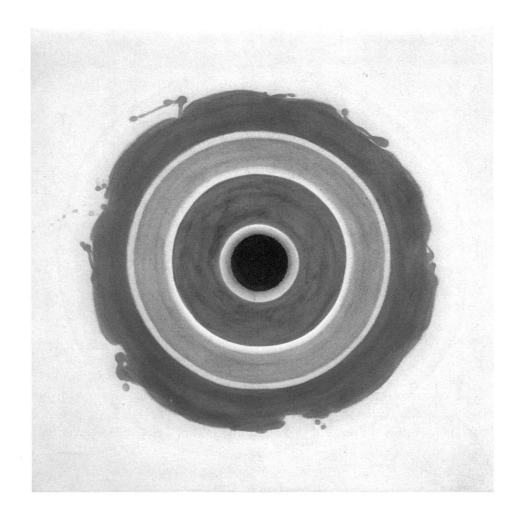

Ellsworth Kelly
Trois panneaux:
bleu jaune rouge, 1966
Toile, 210 x 153,5 cm
Cologne, musée Ludwig

l'approche logique, « mathématique ». Ellsworth Kelly dit de ses tableaux composés de champs de couleurs ou de barres : « Mon œuvre comprend des peintures simples ou complexes, rectilignes, courbes ou carrées. Je m'intéresse moins à ce que l'on voit dans le tableau, l'essentiel est la "présence" proprement dite du tableau. » Les éléments disparates font également défaut dans les cubes soudés les uns aux autres en forme de treillis des artistes minimalistes Donald Judd (1928-1994) et Sol LeWitt (1928). Il ne faut pas chercher de symbolique dans leurs œuvres, affirment Sol LeWitt et Ellsworth Kelly. « Les formes ne sont rien de plus que ce qu'elles sont, et rien de moins. Quand je dessine un triangle, ce n'est qu'un triangle, un cercle n'est qu'un cercle, sans autre signification », dit Sol LeWitt. Barnett Newman, lui aussi, travaille selon sa seule intuition. En 1967-1968 il peint une vaste toile en rouge, enserrée sur la gauche par une bande verticale bleue et, sur la droite, par une bande verticale jaune. Il faut regarder la toile non pas à distance, mais de tout près si l'on veut saisir la dimension de l'œuvre, éprouver dans son corps et ressentir comme un choc la taille du tableau. L'auteur Gottlieb Leinz écrit en 1987 à propos de cette œuvre : « La surface du tableau en soi n'offre aucune prise, aucun repère, d'autant moins qu'il n'est pas possible de

Barnett Newman
*Qui a peur de rouge, jaune
et bleu III*, 1967/68
Toile, 245 x 543 cm
Amsterdam, Stedelijk Museum

voir les bordures étroites en regardant le centre de la toile. Le spectateur est livré au tableau : il se trouve écrasé par la condition sublime de l'abstraction, qui émane de la seule réalité du tableau. Le tableau n'est pas une déduction de quoi que ce soit, il ne fait plus partie de la nature, la seule chose concrète que le peintre veuille représenter, c'est le tableau même. Le tableau devient lieu de confrontation et d'échange entre la présence de l'image puissante et la réaction du spectateur écrasé. » Selon Newman, l'art doit être « éthique » et pas « esthétique ». Telle est la réponse que Newman donne à la manière dont Mondrian utilise les couleurs primaires. Chez Mondrian, les couleurs sont porteuses d'idées, Newman veut en montrer la force expressive. Le titre très approprié du tableau est : *Qui a peur du rouge, jaune et bleu III ?*

Toujours plus loin

Mondrian a expliqué ses idées néoplastiques dans ses tableaux bien sûr, mais aussi dans ses nombreuses publications. Il poursuit jusqu'à sa mort ses efforts en vue d'élever l'art et la vie par des moyens stylistiques tout autant que par sa recherche des proportions justes dans l'art et la perception du monde. Malgré l'opposition qu'il rencontre, il n'a jamais fait de concessions à son art, et il n'a jamais douté de ses qualités de peintre. Il est resté fidèle à sa devise : « Toujours plus loin », par laquelle il décrit sa recherche. Il n'a pas voulu dire par son œuvre que tout art doit être comme le sien. Il n'aurait même pas considéré comme un reproche l'affirmation, souvent entendue, selon laquelle avec une règle et quelques pots de peinture on peut faire un « Mondrian ». Plus les hommes ont la possibilité de représenter l'universel, mieux cela vaut. Piet Mondrian a surtout voulu montrer que dans l'art – et donc dans la vie de chacun – il est possible d'atteindre des moments de pureté et d'harmonie absolues.

Josef Albers, né en 1888 à Bottrop (Allemagne), mort à New Haven, Conn. (USA). Peintre, graveur, photographe et écrivain. Il fait des études à Berlin, à Munich et au Bauhaus à Weimar et appartient au Bauhaus à Dessau de 1925 jusqu'à sa suppression en 1933. Emigré en 1933 en Amérique il y enseigne à plusieurs universités. Son œuvre évolue rapidement vers l'abstraction sous l'influence du constructivisme du Stijl. Ses expériences relatives à l'espace pictural et ses recherches sur l'influence réciproque des couleurs complémentaires font de lui l'un des précurseurs de l'op-art.

Hans (Jean) Arp, né en 1887 à Strasbourg, mort en 1966 à Bruxelles. Sculpteur, peintre, poète et graveur. Il entre en 1911 en contact avec le groupe du Blaue Reiter et fonde en 1917 avec Tristan Tzara et Hugo Ball le groupe Dada à Zurich et, deux ans plus tard, avec Max Ernst, le groupe Dada à Cologne. Marié en 1926 à l'artiste Sophie Taeuber, il s'installe en France, où il appartient jusqu'en 1930 au groupe surréaliste. Il est membre du groupe Abstraction-Création. Toute son œuvre est non figurative. Dans les années cinquante il exécute des sculptures monumentales, notamment pour l'université de Caracas et le bâtiment de l'Unesco à Paris.

Hendrik Petrus Berlage, né en 1856 à La Haye, mort en 1934 également à La Haye. Architecte de la Bourse d'Amsterdam (1898-1903) et du Gemeentemuseum de La Haye. Il élabore les plans d'extension pour Amsterdam-Sud, La Haye et Utrecht. Ses idées sont une source d'inspiration importante pour le Stijl. Son style austère et fonctionnel, qui se distingue nettement du style néo-renaissance prédominant, a fortement influencé l'architecture aux Pays-Bas et à l'étranger. En 1905 il publie son essai *Gedachten over de Stijl in de Architectuur* (Réflexions sur le style en architecture).

Johannes Bosboom, né en 1817 à La Haye, mort en 1891 dans la même ville.

Il appartient à la première génération des peintres de l'école de La Haye et se spécialise dans la représentation d'intérieurs d'églises, en s'inspirant des peintres du XVIIe, le siècle d'Or hollandais. Il est aussi un aquarelliste talentueux avec une prédilection marquée pour le paysage.

Georges Braque, né en 1882 à Argenteuil-sur-Seine, mort en 1963 à Paris. Après une brève période fauviste, il est, avec Picasso, le fondateur du cubisme. Jusqu'en 1920 il peint surtout des natures mortes dont les thèmes sont des fruits, des instruments de musique et des bouteilles. Plus tard, les paysages et les figures féminines apparaissent dans ses toiles. Artiste prolifique aux talents multiples, Braque exécute aussi des lithographies, il dessine des décors de théâtre et fait des sculptures.

George Hendrik Breitner, né en 1857 à Rotterdam, mort en 1923 à Amsterdam. Il est le représentant le plus important de l'école d'Amsterdam. Elève de l'académie des Beaux-Arts de La Haye, il subit l'influence de son professeur Willem Maris. Pendant sa période de La Haye il peint la plupart de ses tableaux équestres, alors qu'à Amsterdam il se consacre aux vues de ville dans un style impressionniste, aux « instantanés » et aux nus représentés dans un coloris chaud et foncé. Il travaille souvent sur la base de photos prises par lui-même au préalable.

Paul Cézanne, né à Aix-en-Provence en 1839, mort dans la même ville en 1906. Il suit des leçons de dessin dans sa ville natale et part en 1861 pour Paris afin de se consacrer entièrement à la peinture. Pendant une première période il travaille dans un style romantique mais se tourne après 1870, sous l'influence de Pissarro, vers l'impressionnisme. Il revient en 1879 à Aix où il mène une vie retirée et développe son propre style. Cézanne a exercé une grande influence sur la peinture moderne, et son œuvre est considérée comme précurseur du fauvisme et du cubisme à la fois.

Marc Chagall, né à Vitebsk (Russie) en 1887, mort à Saint-Paul-de-Vence (France) en 1985. Après des études à l'académie des Beaux-Arts à Saint-Pétersbourg, il s'établit à Paris entre 1910 et 1914 où il développe

rapidement son propre style expressif et poétique, sous l'influence des fauves et du cubisme. Dans son œuvre fantastique et onirique il combine le folklore russe, les éléments mystiques de la religion juive, les animaux, les fleurs et les souvenirs de son pays natal. Son œuvre inspirera les expressionnistes allemands. Chagall est célèbre aussi comme graveur, lithographe et dessinateur de décors et de costumes. A partir de 1947 il s'intéresse à la céramique, à la sculpture et au vitrail. Il dessine notamment des vitraux pour la cathédrale de Metz et pour une synagogue de Jérusalem.

John Constable, né à East Bregholt (Suffolk) en 1776, mort à Londres en 1837. Il commence comme portraitiste mais porte bientôt son intérêt sur les paysages, en s'inspirant au début notamment de l'œuvre du peintre néerlandais Jacob van Ruysdael. Constable est l'un des fondateurs de l'art paysagiste moderne et a largement influencé les peintres de Barbizon. Les peintres impressionnistes admirent aussi son œuvre.

Jean-Baptiste Camille Corot, né à Paris en 1796, mort également à Paris, en 1875. Il est l'un des représentants de l'école de Barbizon et est considéré comme le plus grand paysagiste français du XIXe siècle. Il peint des paysages historiques mais se consacre aussi aux études de la nature où les transitions abruptes s'estompent au profit d'une atmosphère légère. Dans son œuvre tardive il allie cette technique à une palette claire et devient ainsi un précurseur de l'impressionnisme.

Charles-François Daubigny, né à Paris en 1817, mort également à Paris en 1878. Il remporte ses premiers succès avec des paysages du Morvan, qui comptent parmi les premières œuvres exécutées en plein air. La décomposition des formes qu'il opère dans ses tableaux le rapproche de l'impressionnisme. Il entretient des rapports intermittents avec l'école de Barbizon.

Theo van Doesburg (Christian Emil Marie Küpper), né à Utrecht en 1883 et mort à Davos en 1931. Après des études d'architecture il commence à peindre en autodidacte. Il travaille d'abord dans un style académique, puis adopte le style impressionniste. En

1915, sous l'influence de Mondrian, il se lance dans la peinture abstraite. Il est, en 1917, l'un des fondateurs de la revue *De Stijl* et l'inspirateur du groupe du même nom. Plus tard il se rallie aux dadaïstes et écrit des poèmes dada sous le pseudonyme I.K. Bonset.

Cornelius Theodorus Maria (Kees) van Dongen, né à Delfshaven (Pays-Bas) en 1877, mort à Monaco en 1968. Il part en 1897 pour Paris et se joint au cercle de Picasso, Juan Gris et Max Jacob. Il est membre du Brücke, à Dresde, et peint dans un style fauviste. Après la Première Guerre mondiale, ses tableaux deviennent plus réalistes. Il est ensuite un peintre parisien très à la mode et brosse un tableau parfois impitoyable de la vie mondaine.

Cornelis van Eesteren, né à Kinderdijk (Pays-Bas) en 1897 et mort à Amsterdam en 1988. Architecte et l'un des collaborateurs du Stijl. Il dessine avec Theo van Doesburg les plans d'une galerie marchande à La Haye. En 1929 il devient l'architecte en chef de la ville d'Amsterdam.

Naum Gabo (Pevsner), né à Bryansk (Russie), mort à Waterbury (Conn., USA). Sculpteur américain d'origine russe, il est l'un des plus importants représentants du constructivisme. Il vit entre 1913 et 1917 à Paris et Oslo, où il peint ses premiers tableaux inspirés par le cubisme. Gabo émigre en 1946 en Amérique. Il exécute des compositions plastiques abstraites, de préférence en matériaux transparents. Ses plastiques cinétiques sont considérés comme les précurseurs des mobiles.

Paul Joseph Constantin Gabriël, né à Amsterdam en 1828, mort à Scheveningen en 1903. Elève du paysagiste Koekkoek et subissant plus tard l'influence d'Anton Mauve. Il habite de 1860 à 1864 à Bruxelles où ses paysages sont plus appréciés que dans son pays natal. Après cette période il vit jusqu'à sa mort à Scheveningen (Pays-Bas). Il évoque dans ses toiles les vastes paysages de polder qu'il peint dans des tons clairs de gris argenté.

Fritz Glarner, né à Zurich en 1899, mort à Locarno (Suisse) en 1972. Peintre américain d'origine suisse. Ses premiers tableaux sont expressionnistes, puis abstraits à partir de 1930. En 1936 il

part pour l'Amérique et continue à peindre dans un style constructiviste, se rapprochant de plus en plus du Stijl. Il est un ami de Mondrian.

Vincent Willem van Gogh, né à Zundert (Pays-Bas) en 1853, mort à Auvers-sur-Oise (France) en 1890. L'un des plus grands peintres du XIXᵉ siècle, d'une importance exceptionnelle pour la peinture moderne. Il commence sa carrière en 1869 comme élève chez le marchand d'art Goupil, mais quitte la galerie bientôt pour être prédicateur-évangéliste dans le Borinage en Belgique. Vers 1880 il commence à dessiner et à peindre, son thème principal étant la vie quotidienne des mineurs. En 1882, il étudie le dessin chez son cousin Anton Mauve. Après s'être brouillé avec Mauve, Van Gogh retourne dans la Drenthe et vit de 1883 à 1885 chez ses parents à Nuenen. C'est là qu'il peint son chef-d'œuvre *Les Mangeurs de pommes de terre*. Après un conflit avec ses parents il part pour Anvers et, en 1886, pour Paris, où il découvre l'impressionnisme et devient l'ami de Paul Gauguin. Son œuvre devient plus claire pendant cette période, sa touche est plus libre et il développe pleinement son style. En 1888 il déménage à Arles où il exécute près de deux cents tableaux. A Arles il rompt avec Gauguin, puis il sombre dans la folie et se fait traiter à l'institut psychiatrique de Saint-Rémy. C'est là qu'il peint certaines des meilleures toiles de son œuvre, telle qu'*Allée aux cyprès*. Il passe les derniers mois de sa vie à Auvers où il peint avec obsession. En juillet 1890 il se suicide.

Jacoba Berendina van Heemskerck van Beest (Jacoba van Heemskerk), née à La Haye en 1867, morte à Domburg (Pays-Bas) en 1923. Elle est une représentante du groupe de Domburg et a des contacts avec le groupe gravitant autour de la revue *Der Sturm*. Elle devient ainsi aux Pays-Bas le trait d'union entre l'expressionnisme français et l'expressionnisme allemand. Elle peint régulièrement en pleine nature, en compagnie de Piet Mondrian.

Robert van 't Hoff, né à Rotterdam en 1887, mort en Grande-Bretagne en 1979. Architecte et collaborateur de la revue *De Stijl*. Il travaille dans le style de son collègue américain Frank Lloyd Wright.

Vilmos Huszàr, né à Budapest en 1884, mort à Hierden (Pays-Bas) en 1960. Il émigre de Russie en 1905 et s'installe à Voorburg, aux Pays-Bas. Graphiste et peintre il participe à la fondation du Stijl et fait le projet de la couverture de la revue du même nom. Vers 1920 il dessine avec Piet Zwart des meubles. Il quitte le Stijl en 1923.

Jozef Israëls, né à Groningue en 1824, mort à La Haye en 1911. Ses premiers tableaux sont d'inspiration romantique, puis il exécute une série d'œuvres pathétiques, telles que des mères avec leurs enfants. Ultérieurement il représente des gens simples, des pêcheurs et des ouvriers. Il habite et travaille à Paris, Amsterdam et La Haye.

Johan Barthold Jongkind, né à Latrop (Pays-Bas) en 1819, mort à Grenoble en 1891. Elève de Schelfhout qui lui enseigne l'art de l'aquarelle d'après nature. Il est un représentant important de l'école française de plein air. A partir de 1843 il travaille surtout à Paris. Dans ses œuvres précoces françaises prédominent les paysages romantiques, alors que dans ses œuvres tardives il se révèle un maître incontesté de la représentation de la lumière et de l'atmosphère. Précurseur de l'impressionnisme, il exerce une grande influence sur l'art paysagiste français.

Ellsworth Kelly, né à Newburgh (N.Y., USA) en 1923, travaille à New York. Il est le principal représentant de l'abstraction géométrique, le « hard edge colour painting », et subit d'abord l'influence du constructivisme. Dans les années cinquante il commence à faire des tableaux avec des plans colorés aux contours très accusés qui sont juxtaposés et contrastés.

Johan Conrad Theodoor (Conrad) Kickert, né à La Haye en 1882, mort à Paris en 1965. Il est avec Piet Mondrian, Jan Toorop et Jan Sluyters, fondateur du Cercle d'art moderne. Autodidacte, critique et peintre, Kickert est vers 1910 le pivot des peintres néerlandais à Paris.

Bart (Anthony) van der Leck, né à Utrecht en 1876, mort à Blaricum (Pays-Bas) en 1958. Verrier et, plus tard, peintre, céramiste, concepteur de dessins de textile, lithographe et graveur. Il débute comme peintre naturaliste mais adopte vers 1910 un style plus monumental aux couleurs primaires mariées aux blancs et aux gris sur un fond blanc. Dès 1916 sa peinture devient non figurative, et un an plus tard il fonde avec Theo van Doesburg et Piet Mondrian le groupe De Stijl, avec lequel il rompt bientôt. Après 1919 il retourne aux formes réalistes. Van der Leck a considérablement influencé l'art décoratif et l'architecture.

Jules Fernand Henri Léger, né à Argentan (France) en 1881, mort à Gif-sur-Yvette (France) en 1955. Peintre, graveur et céramiste. Il part en 1900 pour Paris où il exécute jusqu'en 1907 des œuvres impressionnistes, puis devient l'un des représentants les plus importants du cubisme. Vers 1912 il découvre la fascination de la machine et commence à peindre dans un style figuratif tout personnel. Les figures mécanistes en forme de tuyau, peintes dans des couleurs vives et aux contours appuyés, prennent une place importante dans son œuvre.

Max Liebermann, né à Berlin en 1847, mort en 1935 dans la même ville. Après des études à Berlin et à Weimar, il fait connaissance, à Paris et à Barbizon, avec les œuvres de Courbet et de Millet. Il se rend souvent aux Pays-Bas chez son ami Jozef Israëls qui exerce une influence sur son œuvre, centrée sur la représentation de la vie quotidienne. Vers 1890 il commence à peindre dans le style impressionniste et devient en Allemagne l'un des représentants les plus marquants de ce mouvement. Par ailleurs, il est un portraitiste excellent qui a une clientèle nombreuse.

Kazimir Serevinovitch Malevitch, né à Kiev en 1878, mort à Leningrad en 1935. Peintre, théoricien de l'art et principal représentant de l'art non figuratif russe. Il trouve au début sa plus grande source d'inspiration chez les néo-impressionnistes français, les fauves et les cubistes. Après sa période cubiste, il passe vers 1913 à l'art abstrait « concret ». Il élabore, à partir de la dynamique du futurisme, une forme d'expression non figurative qu'il appelle « suprématisme ». Le carré pur, d'une seule couleur, en est l'aboutissement ultime. Professeur à partir de 1917 à l'académie d'Etat à Moscou, il s'oppose en 1921 au gouvernement qui exige désormais le réalisme socialiste dans l'art. Il part en 1927 au Bauhaus à

Berlin, pour lequel il rédige de nombreuses publications. Tout comme le Stijl et le Bauhaus, il préconise une fusion de l'art, de l'architecture et du design industriel.

Jacobus Hendricus (Jacob) Maris, né à La Haye en 1837, mort à Karlsbad (Allemagne) en 1899, est l'un des représentants les plus importants de l'école de La Haye et s'inspire de l'œuvre de l'école de Barbizon. Ses toiles précoces représentent des scènes familiales d'intérieur. Vers 1860, sa palette devient plus douce et claire. Il habite un certain temps à Paris. Après son retour à La Haye, il peint surtout des paysages et des scènes de plage.

Matthijs Maris, né à La Haye en 1839, mort à Londres en 1917. Il travaille à La Haye, à Paris et à partir de 1877 à Londres. Il peint à ses débuts dans le style de l'école de La Haye et adopte les mêmes sujets que son frère aîné Jacob. En 1860, les œuvres des peintres romantiques allemands le passionnent et ses tableaux, sous l'influence conjointe des préraphaélites anglais, deviennent de plus en plus oniriques et symboliques. Ce peintre considéré comme le plus doué des frères Maris, vit à la fin de son existence dans un monde imaginaire et meurt totalement isolé.

Willem Maris, né à La Haye en 1844, mort dans la même ville en 1910. Il est connu comme le plus original des Maris. Il prend des leçons auprès de ses frères et opte de bonne heure pour le paysage hollandais rehaussé d'animaux, en ayant pour principal souci la reproduction impressionniste de la couleur et de la lumière.

Anton Mauve, né à Zaandam (Pays-Bas) en 1838, mort à Arnhem en 1888. Paysagiste et animalier. Peintre, aquarelliste et graveur qui se consacre surtout aux vues de dunes et de landes. Il travaille à Amsterdam, Haarlem, La Haye et Laren. Il est influencé par l'école de Barbizon et apparenté à l'école de La Haye. C'est le représentant le plus éminent du mouvement appelé l'école de Laren.

Hendrik Willem Mesdag, né à Groningue (Pays-Bas) en 1831, mort à La Haye en 1915. Peintre et collectionneur d'art. Il est l'élève d'Alma Tadema et un représentant de

l'école de La Haye. Il peint surtout des marines. Son œuvre la plus célèbre est le *Panorama Mesdag*, peinte à Scheveningen, pour laquelle il coopère avec d'autres artistes.

Jean-François Millet, né à Gruchy près de Gréville (France) en 1814, mort à Barbizon en 1875. Elève de Delaroche à Paris. D'abord attiré par les portraits réalistes, il se consacre ensuite aux œuvres idylliques et galantes. Il s'installe en 1849 à Barbizon et produit dès lors ses meilleures toiles, dont le thème essentiel est la vie à la campagne représentée dans un style réaliste. Son œuvre influence Pissarro et Van Gogh.

László Moholy-Nagy, né à Bácsborsod (Hongrie) en 1895, mort à Chicago en 1946. Peintre constructiviste, sculpteur, décorateur, photographe et théoricien de l'art. Il part en 1920 pour Berlin et y fonde avec El Lissitzky le groupe constructiviste « G ». Il s'associe de 1923 à 1928 au Bauhaus à Weimar et à Dessau. Il devient en 1932 membre du groupe parisien Abstraction-Création. Il émigre en 1937 en Amérique où il fonde à Chicago le *New Bauhaus*, dont il est le directeur. Son œuvre est importante pour l'évolution de l'art cinétique, l'art à base de modulation de la lumière et la photographie.

Pieter Cornelis Mondriaan (après 1911 il se nomme Mondrian), né à Amersfoort (Pays-Bas) en 1872, mort à New York en 1944. Il étudie à l'Académie royale d'Amsterdam. Il peint d'abord des paysages dans la tradition de l'école de La Haye et de l'école d'Amsterdam, puis des paysages qui, par la forme et la couleur, évoluent progressivement vers l'abstraction. Il part en 1911 pour Paris où, sous l'influence du cubisme, ses toiles de plus en plus abstraites témoignent de son style qu'il appelle « néoplasticisme ». Il explique cette notion dans des textes théoriques. Pendant la Première Guerre mondiale, il vit à nouveau aux Pays-Bas et fait la connaissance de Theo van Doesburg avec lequel il fonde le journal *De Stijl* en 1917. A partir de cette époque ses œuvres insistent sur l'opposition entre les lignes horizontales et verticales, les couleurs primaires contrastées aux noir, blanc et gris. De 1919 à 1939 il réside essentiellement à Paris, et en 1940 il part pour New York, où ses tableaux deviennent plus dynamiques et colorés. Il est l'un des principaux représentants du Stijl.

Kenneth Noland, né à Asheville (Caroline du Nord) en 1924, représentant du mouvement « postpainterly abstraction ». Après des études chez Josef Albers il séjourne à Paris et travaille chez Osip Zadkine. Noland retourne en 1949 à Washington et rejoint en 1953 à New York, avec Morris Louis, les expressionnistes abstraits qui se sont réunis autour de Jackson Pollock. Depuis 1959 il se rapproche du lyrisme abstrait de Mark Rothko et de Barnett Newman.

Barnett Newman, né à New York en 1905, mort dans la même ville en 1970. Représentant de l'expressionnisme abstrait, il est l'un des premiers et principaux représentants de la peinture par plans de couleurs. Ses toiles monumentales sont faites de plans monochromes coupés de bandes horizontales colorées. Il exerce une grande influence sur l'évolution de ce que l'on appelle « postpainterly abstraction », « hard edge colour painting » et « shaped canvas ». Il donne des leçons dans diverses écoles américaines et fonde en 1948 avec Rothko, Baziotes et Motherwell l'école « Subjects of the Artists » (Sujets des Artistes).

Ben Nicholson, né à Denham (Angleterre) en 1894, mort dans ce même pays en 1982. D'abord cubiste, il subit dans les années vingt l'influence de Mondrian. Il entre dans le groupe abstrait Unit One en 1933 et devient le principal pionnier de la peinture abstraite anglaise. Il est le rédacteur de *Circle*, la revue du mouvement abstrait. A partir de 1958 il vit en Suisse.

Jacobus Johannes Pieter Oud, né à Purmerend (Pays-Bas) en 1890, mort à La Haye en 1963. Il est l'un des représentants les plus éminents de l'architecture moderne aux Pays-Bas. Il est architecte, urbaniste et publiciste. Il prend part à la fondation du Stijl en 1917 mais rompt avec le groupe après quelques années. Oud est un précurseur du modernisme pratique en architecture ou *Style international*, selon lequel l'adaptation à la fonction est primordial et l'ornementation, inutile. De 1918 à 1933 il est l'architecte de la municipalité de Rotterdam, où il construit plusieurs quartiers d'après ses théories. L'un de ses derniers projets est le Palais des Congrès de La Haye (inauguré en 1969).

Pablo Ruiz Picasso, né à Malaga en 1881, mort à Mougins (France) en 1973. Picasso, aux talents multiples, est tout à la fois peintre, dessinateur, graveur, céramiste et sculpteur. Il est une figure dominante de l'avant-garde dans la première moitié de notre siècle. A Paris, en 1900, l'influence de Toulouse-Lautrec, Van Gogh et Cézanne suscite sa *période bleue*. Lorsqu'il est définitivement installé à Paris, en 1904, commence sa *période rose*. Il fait la connaissance de Matisse et de Braque et est attiré par l'art africain. Il est l'un des fondateurs du cubisme, qui se développe dans les années 1907-1914. Vers 1917 il commence à adopter un style classique aux contours appuyés. Les années vingt sont marquées par les influences surréalistes, ses toiles deviennent plus expressives et colorées. Jusqu'à sa mort il continue à peindre dans les styles qu'il a développés après la période cubiste. A partir de 1945 il crée parallèlement une œuvre gigantesque dans des domaines aussi divers que le graphisme, la céramique et les plastiques.

Otto van Rees, né à Fribourg en 1884, mort à Utrecht en 1957. Élève de Jan Toorop. Après une courte période néo-impressionniste il est l'un des premiers cubistes aux Pays-Bas. Il peint des paysages, des figures, des portraits et des natures mortes, il conçoit des fresques et des vitraux. Il tient une place importante dans l'art religieux.

Gerrit Rietveld, né à Utrecht en 1888, mort dans la même ville en 1964. Architecte et dessinateur de meubles. Pendant ses études d'architecture, il fait la connaissance de membres du Stijl et entre dans le groupe en 1919. Ses dessins de meubles de ces années, tels que le *Siège rouge-bleu* (1918), sont des applications intégrales des théories du Stijl. Il conçoit en 1924 la maison Schröder (également appelée maison Rietveld) à Utrecht, un projet novateur au plan international qui a donné le coup d'envoi au fonctionnalisme.

Willem Roelofs, né à Amsterdam en 1822, mort à Berghem près d'Anvers en 1897. Ce peintre de paysages est un des fondateurs en 1847 de la Société d'art Pulchri Studio à La Haye. Précurseur de l'école de La Haye, il est également un entomologiste renommé. Il réside longtemps à Bruxelles.

Théodore Rousseau, né à Paris en 1812, mort à Barbizon en 1867. Il est un représentant essentiel du « paysage intime ». Les paysagistes hollandais du XVIIe siècle et John Constable sont ses principales références. Ses paysages allient un romantisme mélancolique à une observation exacte de la nature. Il s'installe en 1844 à Barbizon, où son studio devient un point de rencontre pour les peintres de l'école du même nom.

Lodewijk Schelfout, né à La Haye en 1881, mort à Amstelveen en 1943. Il travaille à Paris, dans le Midi et en Corse. D'abord impressionniste, il se rallie ensuite au cubisme. Il peint de nombreux paysages, des portraits et des natures mortes. Son œuvre de graveur est importante.

Michel Seuphor (pseudonyme de Fernand Berckelaers), né à Anvers en 1901. Peintre abstrait, dessinateur, écrivain, poète et historien de l'art. Il est l'organisateur de nombreuses expositions d'art abstrait. Il est aussi le fondateur de *Het Overzicht* (1921), revue consacrée à l'art abstrait, et auteur de divers essais sur ce même sujet.

Johannes Carolus Bernardus (Jan) Sluyters, né à Bois-le-Duc (Pays-Bas) en 1881, mort à Amsterdam en 1957. Il est peintre, dessinateur et lithographe. S'étant essayé notamment à l'impressionnisme et au fauvisme, il en vient vers 1920 à son propre style de peinture apparenté à l'expressionnisme. Il exécute dans une palette vibrante des natures mortes, des nus stylisés, des figures d'enfants et des portraits. L'influence de Piet Mondrian est sensible.

Sophie Taeuber-Arp, née à Davos en 1889, morte à Zurich en 1943. Elle est une figure de proue de l'art abstrait. En 1916 elle se rallie au mouvement dada par l'intermédiaire de Hans Arp qu'elle épouse en 1922. Ses toiles reposent sur des formes géométriques élémentaires. De 1931 à 1936 elle est membre du groupe Abstraction-Création. De 1937 à 1939 elle publie la revue *Plastique*.

Elle exécute aussi des dessins pour des tapisseries, des tapis, des compositions en relief et des sculptures en bois.

Annie Caroline Pontifex (Charley) Toorop, née à Katwijk (Pays-Bas) en 1891, morte à Bergen (Pays-Bas) en 1955. Elle est la fille de l'artiste Jan Toorop. Son style expressionniste est extrêmement personnel. Elle peint des portraits, des natures mortes et des paysages. Dans ses premières œuvres dominent les gris et les marrons, mais lorsqu'elle s'installe à Bergen, en 1922, sa palette s'éclaircit et ses œuvres deviennent plus plastiques. Après 1937 les coloris sont plus sobres, l'expressivité est plus intense. Elle fait partie du groupe qui peint à Domburg.

Jean (après 1905 Johannes) Theodor (Jan) Toorop, né à Poerworedjo (île de Java) en 1858, mort à La Haye en 1928. Peintre, dessinateur, graveur et dessinateur pour les arts appliqués. Il fait ses études à Amsterdam et Bruxelles. Il entre en contact avec William Morris en 1885 à Londres, il devient membre du groupe d'artistes belges Les Vingt. D'abord influencé par les impressionnistes il peint des paysages, des portraits et des intérieurs avec une connotation sociale. Après 1890 il travaille dans un style symboliste, puis il applique la technique pointilliste. Beaucoup de ses œuvres et surtout ses dessins portent l'influence du Jugendstil. Après sa conversion au catholicisme, en 1905, il crée surtout des œuvres sur des thèmes religieux.

Jospeh Mallord William Turner, né à Londres en 1775, mort à Chelsea en 1851. Paysagiste et précurseur de l'impressionnisme, il est l'un des peintres anglais les plus originaux. Il commence par exécuter des dessins topographiques et architecturaux d'une qualité exceptionnelle. A partir de 1800 il produit des paysages et des marines. Ses premières toiles sont romantiques et tourmentées. Mais après deux voyages en Italie (en 1819 et 1828), il s'attache de plus en plus intensément à décrire la lumière. Dans ses dernières toiles les lignes fixes s'estompent de plus en plus et se dissolvent dans des jeux de lumière.

Hendrik Johannes Weissenbruch, né à la Haye en 1824, mort dans la même ville en 1903. Il est l'élève de Schelfhout et un représentant de l'école de La Haye. Il travaille à La Haye, à Scheveningen et à Haarlem. Il est l'auteur de paysages amples et clairs ayant principalement pour sujets les polders, la plage, les dunes et la mer.

Jan Wils, né à Alkmaar (Pays-Bas) en 1891, mort à Voorburg en 1972. Architecte, il est l'élève de Berlage. Il contribue à fonder le Stijl où il représente la tendance cubiste. Parmi ses réalisations figurent le projet et la construction du quartier Papaverhof à La Haye et du Stade olympique (1926-1928) d'Amsterdam.

Willem Arnoldus Witsen, né à Amsterdam en 1860, mort dans la même ville en 1923. Ce peintre, graveur et photographe se consacre surtout aux paysages urbains, aux natures mortes et aux portraits.

BIBLIOGRAPHIE:

Frans Hanfstaengl, Max Eisler. *Die neuholländische Kunst (Die Haager Schule).* Kunstverlag, München 1911
De Stijl 1917-1931, *The Dutch Contribution to Modern Art.* Amsterdam, préface de H.L.C. Jaffé, Meulenhoff, 1959 (édition originale Londres, Alec Tiranti, 1956)
Michel Seuphor. *Piet Mondrian - Life and Work.* Londres, Thames and Hudson; New York, Abrams, 1956
R.P. Welsh. *Piet Mondriaan,* 1872-1944. Toronto 1966, exposition dans The Art Gallery of Toronto; Philadelphia Museum of Art; Haags Gemeentemuseum
H.L.C. Jaffé. *Mondrian und De Stijl.* Cologne, DuMont Schauberg, 1967
De Stijl, réimpression de la revue (1917-1932). Amsterdam, Athenaeum; La Haye, Bert Bakker; Amsterdam, Polak & Van Gennep, 1968
Jos de Gruyter. *De Haagse School.* Lemniscaat, Rotterdam, 1968
N.E. Dillow et R.P. Welsh. *Piet Mondrian and The Hague School of Landscape Painting.* Catalogue d'exposition, Regina/Edmonton/Montréal 1969-1970
Herbert Henkels, Michel Seuphor Mercator Fonds. Anvers - Haags Gemeentemuseum, 1976
Musée Kröller-Müller, Fondation Kröller-Müller, Otterlo. *Première introduction aux œuvres dans le musée Kröller-Müller.* Joh. Enschede & Zn. Haarlem, 1977
Gerrit Rietveld. *Teksten.* Une sélection des ouvrages de Gerrit Rietveld par Helma van Rens. Éditeur Impress bv Utrecht, 1979
John Sillevis, Nini Jonker, Margreet Mulder. *Max Liebermann en Holland.* Staatsuitgeverij, La Haye, 1980
H.L.C. Jaffé. *Piet Mondriaan.* Meulenhoff Landshoff, Amsterdam, 1980
Adriaan Venema. *Nederlandse schilders in Parijs 1900-1940.* Het Wereldvenster, Baarn, 1980

Mildred Friedman. *De Stijl: 1917-1931*. Stedelijk Museum, Amsterdam, Rijksmuseum Kröller-Müller, Otterlo, en collaboration avec Meulenhoff Landshoff, Amsterdam, 1982

Werner Blaser. *Mies van der Rohe*. Editeur 010, Rotterdam, 1986

Nikolaus Pevsner. *Geschiedenis van de bouwkunst in Europa*. Ad. Donker, Rotterdam, 1986

Piet Mondriaan. *Natuurlijke en abstracte realiteit: Dialoog en Trialoog over de Nieuwe Beelding* (Réalité naturelle et abstraite : dialogue et trialogue sur le néo-plasticisme). Rédaction Herbert Henkels, La Haye, 1986

Mariette Josephus Jitta, John Sillevis. *De Haagse School. Aquarellen en tekeningen uit de collectie van het Haags Gemeentemuseum* (aquarelles et dessins de la collection du Haags Gemeentemuseum). Édition Haags Gemeentemuseum/Gravura, 1986

Carel Blotkamp. *Mondriaan in detail*. Veen Reflex Utrecht - Anvers, 1987

Piet Mondriaan. *Twee verhalen*. Introduction par August Hans den Boef et une étude de Carel Blotkamp. Meulenhoff Nederland, Amsterdam, 1987

Gottlieb Leinz. *Die Malerei des 20. Jahrhunderts*. Herder Verlag, Freiburg, Basel, Wien, 1987

Herbert Henkels. *From Figuration to Abstraction*. The Tokyo Shimbun en collaboration avec le Haags Gemeentemuseum, 1987

M. Seuphor. *Piet Mondrian*. Paris, 1987

Coos Versteeg. *Mondriaan, een leven in maat en ritme*. Édition Sdu (Imprimerie nationale), La Haye, 1988

Albert van den Briel. *'t is alles een grote eenheid, Bert*. Rédaction Herbert Henkels, Joh. Enschede & Zonen, Haarlem, 1988

Charles C.M. de Mooij, Maureen S. Trappeniers. *Piet Mondriaan: Een jaar in Brabant, 1904 - 1905*. Waanders Uitgevers, Zwolle, en coopération avec Noordbrabants Museum, 1989

R.P. Welsh, Boudewijn Bakker, Marty Bax. *1892 - 1912 Mondriaan aan de Amstel*. Gemeentearchief Amsterdam, 1994

Dolf Hulst. *Mondriaan-logboek*, Bookman International BV, 1994

Cor Blok. Piet Mondriaan. *Catalogue de son oeuvre en propriété collective aux Pays-Bas*. Meulenhoff, Amsterdam, 1974

Piet Mondriaan 1872-1944. *Exposition centenaire, New York, 1971*, Solomon R. Guggenheim Museum

De Haagse School, Hollandse meesters van de 19e eeuw. Catalogue, Grand Palais, Paris; Royal Academy of Arts, Londres; Haags Gemeentemuseum, La Haye, 1983

The Hague School, collecting in Canada at the turn of the century. Catalogue, Art Gallery of Ontario, Toronto, 1983.

Heiner Stachelhaus. *Kazimir Malevich*. Catalogue rétrospectif 1989, Stedelijk Museum, éd. Claassen, Düsseldorf

Films:

Piet Mondriaan, A Film Essay. Documentaire, Nico Crama, 1973

Mondriaan. Van figuratie naar abstractie. Documentaire vidéo, Vanguard Productions, texte Dolf Hulst, 1988

INDEX